Les vers blancs

Chaque jour, les preuves que les pesticides sont dangereux pour la santé s'accumulent. Je dédie donc ce livre aux personnes hypersensibles aux pesticides, aux personnes atteintes de maladies chroniques et aux cancéreux, ainsi qu'à la Société canadienne du cancer et à tous les gens qui me donnent le courage de penser et de faire autrement.

Solutions pratiques et écologiques

Les vers blancs

TOUTES LES PRATIQUES ÉCOLOGIQUES POUR CONTRÔLER CES RAVAGEURS

Micheline Lévesque

Bertrand DUMONT éditeur

Catalogage avant publication de Bibliothèque et Archives nationales du Québec et Bibliothèque et Archives Canada

Lévesque, Micheline, 1959-

Les vers blancs : toutes les pratiques écologiques pour contrôler ces ravageurs

(Solutions pratiques et écologiques)

Comprend des réf. bibliogr. et un index.

ISBN 978-2-923382-43-2

1. Hannetons, Lutte biologique contre les. 2. Pelouses - Entretien - Aspect de l'environnement. I. Titre.

SB976.C64L48 2010   632'.7649   C2010-940215-4

Remerciements

Cet ouvrage est le fruit d'un travail de longue haleine et d'une collaboration avec des centaines d'individus. Merci donc aux citoyens, écoconseillers, biologistes, agronomes, entomologistes, inspecteurs municipaux et contremaîtres des différentes régions du Québec avec qui j'ai eu le privilège de réfléchir, de tester de nouvelles façons de faire, de valider et d'innover. Merci aussi aux entrepreneurs en gestion de pelouse qui se questionnent sur le statu quo et qui cherchent des solutions durables aux défis liés aux pelouses urbaines.

Mes sincères remerciements à mon ami et éditeur Bertrand Dumont pour sa vision et son courage à sortir des sentiers battus.

Ce livre et le travail que nous faisons chez *Solutions Alternatives Environnement* (SAE) ne seraient possibles sans le soutien et la collaboration précieuse de Martin Couillard, biologiste et coordonnateur ; et de Luc Dorion, directeur général, partenaire en affaires et dans la vie. Merci à eux aussi !

Photographies

Toutes les photographies sont de l'auteure, sauf celles des pages 7 (bas), 12 (bas), 18, 21, 29 (haut), 31 (bas), 60 (bas) qui sont de Bertand Dumont et celles des pages 6 (bas), 13 (bas), 16 (haut), 28, 35, 41, 50, 58, 62 (droite) qui sont de iStockPhotos.

Bertrand Dumont éditeur inc.
C.P. n° 62, Boucherville
(Québec) J4B 5E6
Tél. : 450 645-1985. Téléc. : 450 645-1912.
(*www.dumont-editeur.com*)
(*www.calepins-aventuriers.com*)

Éditeur : Bertrand Dumont
Révision : Raymond Deland
Conception de la mise en pages : Norman Dupuis
Infographie : Horti Média
Calibrage des photos : Langis Clavet
Illustrations : Sébastien Gagnon
© Bertrand Dumont éditeur inc., 2010
Dépôt légal – Bibliothèque et Archives nationales du Québec, 2010
Bibliothèque et Archives Canada, 2010
ISBN 978-2-923382-43-2
Imprimé au Canada

L'éditeur remercie :

• la Société de développement des entreprises culturelles (SODEC) du Québec pour son programme d'aide à l'édition et à la promotion ;

• Gouvernement du Québec – Programme de crédit d'impôt pour l'édition de livres – gestion SODEC.

Société
de développement
des entreprises
culturelles
Québec

Nous reconnaissons l'aide financière du gouvernement du Canada par l'entremise du Programme d'aide au développement de l'industrie de l'édition (PADIÉ) pour nos activités d'édition.

Patrimoine   Canadian
canadien   Heritage

TABLE DES MATIÈRES

VERS BLANCS : QUELLE APPROCHE ?

Il m'arrive souvent de commencer mes conférences qui ont pour sujet les vers blancs par cette question :

– « Croyez-vous que les règlementations interdisant l'utilisation de pesticides sont responsables de l'infestation de vers blancs dans votre ville ou même partout au Québec ? »

En général, les gens ne savent pas trop quoi répondre, mais, si j'insiste un peu, plusieurs répondent «oui» à cette question… Pour eux, c'est de la faute des règlementations ! Eh bien si c'est le cas, comment expliquer les infestations majeures de vers blancs en Colombie-Britannique et en Ontario, bien avant qu'on adopte des règlementations sur les pesticides ? Comment expliquer aussi que la Ville et la région d'Ottawa (Ontario) sont aux prises avec de graves cas d'infestation de vers blancs depuis plus de cinq ans ? Pourtant, ce n'est que depuis le printemps 2009 (date à laquelle la province de l'Ontario a adopté de nouvelles règles interdisant l'utilisation de tous les pesticides de synthèse sur les propriétés résidentielles) que des restrictions existent. Jusqu'à cette date, les citoyens pouvaient utiliser, sans restriction, des pesticides de synthèse sur leur pelouse. Par exemple le carbaryl, ingrédient actif contenu dans le *GrubOut* et l'imidacloprid contenu dans le *Merit* étaient vaporisés sur les pelouses dans le but de tuer les vers blancs. Pourtant, malgré des traitements répétés, et ce, depuis plusieurs années, le problème est toujours entier !

Ce constat oblige ceux qui pointent les règlementations à chercher un autre coupable ou, plus spécifiquement, une série de causes ou de circonstances atténuantes qui créent un environnement propice à l'émergence des vers blancs. Pour mieux comprendre ce phénomène et les facteurs pouvant y contribuer, je vous invite, même si la tentation est forte de sauter aux sections abordant les solutions, à commencer votre lecture par le chapitre *Les dommages – Comment savoir si on a des vers blancs* ? pour confirmer que ce sont bien les vers blancs qui causent

Plusieurs personnes pensent que les dégâts provoqués par les vers blancs augmentent, car les pesticides sont maintenant interdits dans plusieurs villes. En fait, c'est leur utilisation répétée, combinée à de mauvaises pratiques de gestion, qui peut contribuer à l'aggravation du problème.

*Comprendre pourquoi
on a des vers blancs
dans sa pelouse
permet de mieux les contrôler.*

des dommages à votre pelouse et à poursuivre votre lecture avec le chapitre *Les causes – Pourquoi des vers blancs dans ma pelouse?* Ce chapitre permet de saisir la complexité des causes possibles et de comprendre qu'il est faux de croire qu'un traitement avec des pesticides peut venir à bout d'un problème aussi complexe.

PROBLÈME OU SYMPTÔME?

Selon mon expérience professionnelle et celles de beaucoup d'experts dans le milieu, il est faux de croire que le ver blanc EST le problème. Comme c'est le cas pour la plupart des insectes ravageurs, la présence de ce parasite n'est qu'un symptôme d'un déséquilibre sous-jacent. Si l'on veut que cessent les dommages causés par les vers blancs (ou autres insectes ravageurs et maladies), il ne s'agit pas juste de les détruire, mais bien d'agir sur les causes et soigner le «terrain» comme on le ferait chez une personne malade. En effet, chaque fois qu'on se sert d'un pesticide pour supprimer une réaction de la nature aux déséquilibres qu'on a créés, la plupart du temps, on catalyse d'autres réactions de l'écosystème (ex.: insectes ravageurs, maladies) qui exigent encore plus de pesticides.

BON À SAVOIR
Dans un environnement sain, où les ressources sont accessibles (nutriments, eau, etc.), les plantes en santé ne semblent pas attirer les insectes ravageurs.

Évidemment, ce serait génial si tout ce que l'on avait à faire pour contrôler ces ravageurs était de créer des environnements sains et équilibrés pour les plantes. La bonne nouvelle c'est que, dans bien des cas, c'est effectivement suffisant, car un sol et un écosystème en santé ont la capacité de déclencher des réactions en chaîne de phénomènes (biologiques, physiques et chimiques) capables de limiter l'ampleur des populations de ravageurs et de leurs dommages. Pour mettre à profit ces phénomènes naturels, vous trouverez dans le chapitre *Les solutions à moyen et à long terme* tous les conseils nécessaires pour soutenir la vitalité de l'écosystème de votre sol et de votre pelouse.

C'est en protégeant les insectes bénéfiques, et en coopérant avec la nature qu'il est le plus facile de contrôler les vers blancs.

La solution passe donc par la coopération avec la nature, la compréhension et le soutien des processus naturels et des besoins fondamentaux des végétaux. Il faut se rappeler que, chaque fois qu'on modifie un environnement naturel, on crée des déséquilibres dans cet écosystème. Moins on le perturbe, plus il est facile de le maintenir en équilibre. La nature est, à mon avis, notre meilleure conseillère. Suivre son exemple, tout en y combinant des techniques de contrôle «inspirées de la nature», telles que l'ajout de biodiversité et la lutte biologique (voir le chapitre *Les solutions à court terme*) est le seul espoir pour mettre fin aux cercles vicieux d'infestations à répétition de vers blancs, de punaises velues et autres insectes ravageurs.

DES INSECTES BÉNÉFIQUES

Sachant que la majorité des insectes présents sur la planète jouent un rôle bénéfique, et même crucial, au bon fonctionnement des écosystèmes, il est malheureux que la société les considère d'un si mauvais œil. Sur Terre, plus de 90 % des insectes présents jouent un rôle ou neutre ou bénéfique. D'ailleurs, ce pourcentage est plus élevé dans la pelouse.

Je suis heureuse de pouvoir vous faire profiter de l'expérience terrain que j'ai acquise dans ce dossier. J'ai été aidée en cela par mon équipe d'écoconseillers chez Solutions Alternatives Environnement et par des professionnels œuvrant dans plusieurs villes des différentes régions du Québec avec qui je travaille d'arrache-pied depuis maintenant près de sept ans. Notre démarche structurée de dépistage, de recherche d'informations, de collaboration avec des scientifiques, d'expérimentation terrain, combinée aux milliers de visites faites chez des citoyens et résidents aux prises avec ce ravageur, nous a permis de mieux comprendre la dynamique entourant ce fameux problème. J'espère sincèrement que les informations fournies et les conseils prodigués dans cet ouvrage sauront vous aider à démêler le vrai du faux et à vous guider afin de mettre en place une stratégie intégrée basée sur une approche respectueuse de l'environnement et de la santé des gens.

METTRE EN PLACE LES CONDITIONS GAGNANTES

En plus d'offrir une panoplie de techniques et d'outils axés sur le contrôle du ravageur en question, vous trouverez dans cet ouvrage une foule de conseils éprouvés permettant de mettre en place des conditions gagnantes qui sauront non seulement réduire les dommages à un minimum, mais aussi prévenir le retour des vers blancs.

C'est grâce au dépistage, et en partageant l'information lors de réunions de spécialistes qu'il est possible de mettre en place les bonnes stratégies et les bons moyens pour contrôler les vers blancs.

Les dommages
Comment savoir si on a des vers blancs?

LES VERS BLANCS PEUVENT CAUSER beaucoup de dégâts aux pelouses en milieu urbain. Ces ravageurs sont les larves de plusieurs membres de la famille des scarabéidés (coléoptères), à laquelle appartiennent entre autres le hanneton commun, le hanneton européen et le scarabée japonais.

Hormis le scarabée japonais de couleurs vives, les adultes sont de gros coléoptères bruns qui heurtent fréquemment les fenêtres des maisons lors des chaudes nuits d'été.

Les larves de ces coléoptères présentent un corps mou, blanchâtre, en forme de « C ». Elles sont très petites à l'éclosion, mais atteindront 3 ou 4 cm (1 ou 1,5 "), selon l'espèce, en fin de développement.

Ces larves s'attaquent aux racines de plusieurs plantes herbacées, affectionnant particulièrement les racines fibreuses des graminées, des cultures horticoles (arbres et arbustes) et agricoles. Puisque les pelouses sont principalement composées de monoculture de graminées, ce type de plantes semble être un terrain de prédilection pour les vers blancs. Ces derniers peuvent occasionner des dommages non négligeables aux pelouses.

Des dommages apparents

Avec leurs pièces buccales d'insectes broyeurs, les vers blancs mangent les racines du gazon tout près de la surface du sol ou juste au-dessous de la couche de chaume. Les premiers symptômes de dommages se remarquent à l'éclaircissement graduel, la perte de vigueur, le flétrissement du gazon malgré un arrosage adéquat. Éventuellement, on remarque l'apparition de plaques irrégulières de gazon mort.

Ces symptômes peuvent être confondus avec la présence de punaises velues ou avec d'autres types de dommages comme l'urine de chien, le déversement d'engrais ou de produits chimiques, ou encore des maladies. Par contre, le diagnostic sera confirmé si le gazon jauni peut être soulevé par plaques, comme si c'était un tapis.

Les ravageurs secondaires, comme les moufettes ou les ratons laveurs, causent des dommages aux pelouses en se nourrissant de vers blancs.

Le cas échéant, si les populations de vers blancs sont importantes, les dommages peuvent être aggravés par des ravageurs secondaires, comme les moufettes et les ratons laveurs qui littéralement labourent le gazon pour se nourrir des larves présentes dans le sol. On observe alors, tout particulièrement le matin, des mottes ou des plaques de gazon soulevées. Les dommages sont surtout perceptibles au printemps ou en octobre et novembre, car les larves du troisième stade larvaire sont plus grosses et plus voraces.

Bien que ces dommages secondaires puissent être importants, une fois que ces prédateurs ont fait leur travail, on peut conclure qu'il n'y a plus de raison d'effectuer de contrôle des vers blancs à ce moment-là.

Heureusement, il n'y a pas que de mauvaises nouvelles. La présence de populations de vers blancs n'est pas nécessairement synonyme de dommages importants. Les pelouses diversifiées, croissant dans de bonnes conditions et qui sont maintenues à une hauteur de tonte adéquate (7 à 10 cm [3 à 4''] ou plus), seront beaucoup plus résistantes et récupéreront plus vite aux attaques de vers blancs.

Le contraire est aussi vrai, il n'est pas nécessaire que les vers blancs soient nombreux pour causer des dommages importants. Dans les gazons coupés courts, stressés et peu vigoureux, où le chaume est important, les symptômes apparaissent dès le mois d'août ou en septembre et sont plus graves, tout particulièrement lors des sécheresses et des canicules.

INDICES DE LA PRÉSENCE DE VERS BLANCS

- *Perte de vigueur et gazon clairsemé.*
- *Flétrissement du gazon, malgré un arrosage adéquat.*
- *Le gazon est spongieux sous la pression des pieds.*
- *Apparition de plaques irrégulières de gazon mort jaune ou brun.*
- *Le gazon mort ou endommagé peut être soulevé comme un tapis.*
- *Les plaques de gazon mort s'étendent avec le temps.*

- *Les dommages apparaissent surtout en septembre et octobre, et au printemps. Ils sont aussi particulièrement apparents lors des sécheresses.*
- *Ils peuvent être aggravés par des ravageurs secondaires, comme les moufettes et les ratons laveurs.*
- *Présence de quantité d'oiseaux, surtout à l'automne et au printemps. Celle-ci est souvent accompagnée d'une multitude de trous circulaires de (+ ou – 1 cm [1/3 "]), causés par les oiseaux se nourrissant des vers blancs présents sous la surface de la pelouse.*
- *Mottes et plaques de gazon retourné et labouré.*

Une présence non apparente

Il est possible que des vers blancs soient présents sans jamais qu'il y ait de dommages apparents sur la pelouse. J'ai plusieurs fois été témoin de situations où des rues entières étaient ravagées par les vers blancs. Sur ces mêmes rues, il n'était pas rare de rencontrer un ou deux propriétaires chez qui la pelouse ne démontrait aucun ou très peu de dommages dus aux vers blancs. Pourquoi un tel contraste?

Il aurait été facile de conclure qu'il n'y avait tout simplement pas de vers blancs dans le sol. Pour documenter cette situation, ces propriétés faisaient l'objet de dépistage pointu. Quelle n'était pas notre surprise lorsqu'on découvrait la présence de vers blancs en quantité non négligeable! Qu'est-ce qui pouvait bien expliquer cette différence? Après vérifications, nous apprenions la plupart du temps que les propriétaires de ces pelouses «épargnées» avaient de bonnes pratiques de gestion (tonte haute, biodiversité, engrais naturels, etc.) et des attentes raisonnables en ce qui a trait à l'apparence de leur pelouse. Pas de pelouse parfaite qui s'apparente à un vert de golf pour ces résidents (voir *Les solutions à moyen et à long terme*), mais plutôt une pelouse écologique ou une écopelouse.

Ce n'est pas parce qu'il y a des vers blancs sous la pelouse que celle-ci présente des symptômes de dommages. C'est ce que l'on appelle la présence non apparente.

Les causes
Pourquoi des vers blancs dans ma pelouse?

LE FAIT QU'UNE PELOUSE ABRITE une population problématique de vers blancs n'est pas le fruit du hasard. Cet état de fait est souvent relié à une mauvaise implantation et à de désastreuses pratiques d'entretien.

Le boom des terrains pauvres

Depuis une dizaine d'années, le Québec connaît un essor de la construction résidentielle comme on ne l'a jamais vu auparavant. Des sommes importantes sont investies dans la construction de maisons de plus en plus grandes. Il semblerait donc logique qu'après avoir investi autant d'argent dans la construction de la maison et de l'entrée principale, on investisse tout autant sur l'extérieur de la maison, les aménagements et surtout la mise en place de conditions propices à la culture de la pelouse et des arbres. Malheureusement, ce n'est que rarement le cas. La qualité et l'épaisseur du sol laissé après la construction ne sont pratiquement jamais adéquates (argile compacte, sable, remblai, mince couche de terre noire, etc.). Et pas question d'investir des sommes additionnelles… pour mettre en place de meilleures conditions pour la pelouse et les arbres! Ce qui fait que la plupart des pelouses installées dans les nouveaux quartiers résidentiels poussent dans des conditions inadéquates. Elles sont donc grandement stressées et aux prises avec des problèmes de mauvaises herbes, de punaises velues et surtout de vers blancs.

Une fois les travaux de construction terminés, le sol qui entoure les maisons est le plus souvent pauvre et compact, inadapté à la culture du gazon.

Pour assurer leur survie, on doit inévitablement fournir à ces pelouses de grandes quantités d'engrais, de pesticides et d'eau. Bien des gens pensent que c'est de cette façon que ça fonctionne. Ils croîent, à tort, qu'une pelouse doit nécessairement recevoir tous ces soins pour bien pousser. Pourtant, une pelouse diversifiée qui croît dans de bonnes conditions (sol profond de bonne qualité) et qui est bien entretenue (tonte haute, herbicyclage, etc.) n'a que rarement besoin d'être arrosée et fertilisée.

La problématique des pelouses industrielles

Les études démontrent que le nombre de vers blancs et la sévérité de leurs dommages augmentent dans les pelouses cultivées de manière industrielle. Il s'agit de pelouses installées sur des sols carencés en matières organiques qu'on souhaite le plus «propres» (parfaites) possible, sans trèfle et sans rognures de gazon laissées après la tonte. Pour leur donner ce bel aspect et les maintenir en vie on doit les fertiliser de trois à cinq fois par été avec des engrais de synthèse, les traiter avec des pesticides de synthèse (herbicides pour assurer une monoculture de graminées, insecticides pour prévenir ou contrôler des insectes ravageurs et fongicides pour contrôler les maladies), les arroser fréquemment et les tondre courtes.

Les traitements avec des pesticides de synthèse

Le fait que les infestations d'insectes ravageurs sont plus fréquentes dans les pelouses industrielles a amené les experts à conclure que, dans les écopelouses (pelouses naturelles), la plupart des ravageurs sont maintenus à des niveaux tolérables par des facteurs naturels présents dans ces écosystèmes où les pesticides et les engrais de synthèses sont proscrits.

Les conséquences néfastes occasionnées par l'utilisation répétée de pesticides de synthèse sur les populations d'ennemis naturels (prédateurs et parasitoïdes) sont bien connues du monde scientifique. Ce que l'on a découvert plus récemment, c'est le phénomène de résurgence où les populations d'insectes nuisibles (pucerons, tétranyques, punaises des céréales, vers blancs, etc.) ont tendance à revenir en force dans les pelouses et autres végétaux traités à répétion avec des pesticides.

Pour certains professionnels de l'industrie, ces infestations justifient l'utilisation répétée d'insecticides. Mais en fait, cette stratégie ne fait qu'amplifier le problème, pire encore, l'utilisation de pesticides est parfois «la» grande responsable du problème de résurgence. C'est ce qu'on appelle «l'engrenage de l'utilisation des pesticides» (voir dans *Les solutions à moyen et à long terme* la section *La suppression de l'utilisation des pesticides de synthèse*).

L'utilisation à répétition de pesticides sur la pelouse et les autres végétaux est plutôt un facteur favorisant la présence des insectes ravageurs... que le contraire.

Les pelouses composées de graminées

Les vers blancs s'attaquent aux racines de plusieurs plantes herbacées, affectionnant particulièrement les racines fibreuses des graminées, des cultures horticoles et agricoles. Puisque les pelouses sont des monocultures de graminées, les larves de vers blancs peuvent y occasionner des dommages importants, car elles ne rencontrent aucun « obstacle », dans un milieu qui leur est très favorable.

SITE ET COMPOSITIONS

Un sondage effectué dans l'État de New York a démontré que le problème de vers blancs était plus spécifiquement associé aux devantures de maisons, aux gazons de moins de 20 ans et à ceux qui contiennent plus de 60 % de pâturin du Kentucky. De plus, le ray-grass et le pâturin seraient plus propices aux attaques de vers blancs que les fétuques fines et les fétuques élevées.

Les arrosages

Des études ont démontré que les pelouses irriguées (golfs, résidences, terrains sportifs) ont une densité de population accrue de vers blancs comparativement aux pelouses non irriguées. On expliquerait ce phénomène par le fait que l'irrigation des pelouses pendant la période de ponte attire les femelles des hannetons qui préfèrent pondre dans des sols humides. L'irrigation des pelouses est reconnue par les experts comme étant une des causes pouvant contribuer à l'apparition du problème de vers blancs dans une pelouse.

Des arrosages trop abondants pendant le mois de juillet encouragent la présence de vers blancs dans la pelouse.

Les pelouses coupées courtes

Les hannetons préfèrent déposer leurs œufs dans le sol des gazons coupés ras. De plus, puisque la masse racinaire est moins importante et que les racines sont plus courtes dans de telles pelouses, les dommages seront beaucoup plus importants.

PLUS ON COUPE COURT...

... plus on compromet la capacité des graminées de faire de la photosynthèse. Moins de photosynthèse égale moins d'hydrates de carbone dans la plante, ce qui se traduit par un manque à gagner en énergie. Plus on coupe court, plus le gazon est stressé et doit investir son énergie à la repousse des feuilles au détriment des racines.

Une pelouse coupée très courte permet aux adultes de pondre facilement leurs œufs dans le sol.

Il n'est pas étonnant de voir les pelouses sur lesquelles on a pratiqué une tonte courte infestées de vers blancs et ravagées par les ratons laveurs et les moufettes qui sont à la recherche de vers blancs pour se nourrir. Ce phénomène est rare ou quasi inexistant dans une écopelouse.

Les fertilisations avec des engrais de synthèse et les excès d'azote

Une pelouse vigoureuse et en santé possède un système racinaire étendu et tolère une plus grande présence de vers blancs sans montrer de signe de dégâts. Qu'est-ce qu'une pelouse vigoureuse? Une pelouse d'un vert profond qui reçoit beaucoup d'engrais et qui pousse rapidement? Pas nécessairement!

En fait, pour obtenir une pelouse d'un vert profond, certains acteurs de l'industrie proposent de fertiliser les pelouses à l'aide d'engrais qui ont une forte teneur en azote. Il n'est pas rare de voir sur les tablettes des engrais, dont le pourcentage d'azote (le premier chiffre, soit le N dans le N-P-K) est de plus de 20, et même 30%. Pourquoi tant d'azote, tout particulièrement dans les engrais destinés à la fertilisation du printemps?

La surfertilisation, particulièrement en engrais azotés, a un impact négatif sur la présence des vers blancs dans une pelouse.

C'est que l'azote fait pousser les feuilles. Le gazon verdit et pousse donc plus vite. Le gazon a l'air vigoureux. Malheureusement, ce n'est qu'une illusion. Si l'on pouvait voir ce qui se passe sous la surface, on découvrirait que l'azote fait pousser le feuillage au détriment du développement des racines. Moins de racines égale moins d'absorption d'eau et de nutriments. Moins de racines se traduit aussi par plus de dommages et de mortalité du gazon brouté par les vers blancs ou tous les autres insectes ravageurs. L'apport de quantités importantes d'azote au printemps rend donc le gazon plus vulnérable aux attaques de vers blancs et plus sensible aux stress divers.

De plus, contrairement aux engrais naturels qui contiennent normalement moins de 10% d'azote, l'utilisation d'engrais de synthèse riches en azote a tendance à augmenter la teneur de cet élément dans les végétaux, ce qui, selon certains chercheurs, attire les insectes herbivores tels que les vers blancs, les punaises velues et la pyrale des prés.

Qui est responsable?
Faire connaissance avec les insectes

Le scarabée japonais est un bel insecte… très vorace!

AU QUÉBEC, LES PRINCIPALES LARVES responsables des dommages causés aux pelouses urbaines sont celles du hanneton européen (*Rhyzotrogus majalis*), un coléoptère brun roux mesurant 14 mm (moins de ¾"), du scarabée japonais (*Popillia japonica*), un magnifique coléoptère à la carapace vert métallique et cuivre mesurant 8 à 11 mm (½") et, dans une moindre mesure, du hanneton commun (*Phyllophaga* spp.), un gros coléoptère brun ou noir, familièrement appelé barbeau, mesurant près de 25 mm (1").

Larves ou vers blancs

Les larves de ces coléoptères présentent un corps mou, blanchâtre, en forme de «C». Elles sont très petites (4 mm) à l'éclosion, mais atteindront 20 à 40 mm (¾ à 1½") selon l'espèce en fin de développement (3ᵉ stade larvaire). La larve possède trois paires de pattes, une tête arrondie, brun clair à brun foncé, qui contraste avec le corps recourbé, blanc crème. L'extrémité postérieure de l'abdomen est gris brun foncé. Très petites à l'éclosion des œufs, les larves atteignent jusqu'à 2 à 4 cm (¾" et plus) à la fin de leur développement, selon l'espèce.

Pour identifier l'espèce, il faut observer, à l'aide d'une loupe, la disposition des deux rangées parallèles d'épines situées sur le raster et la fente anale de la larve. Un autre élément d'identification est la présence ou non d'une griffe aux pinces à l'extrémité des pattes de l'adulte. Le hanneton européen n'en possède pas. Malgré ces précisions, il y a fort à parier que si vous habitez le centre du Québec, ce sont des larves du hanneton européen qui causent des dégâts dans votre pelouse.

C'est grâce à deux rangées parallèles d'épines qu'il est possible d'identifier si l'on a affaire au hanneton européen ou à ses comparses le hanneton commun et le scarabée japonais.

Le hanneton européen

Bien que le scarabée japonais soit considéré comme étant un des pires insectes ravageurs des pelouses et des plantes ligneuses, les larves de hanneton européen sont plus grosses et plus destructrices que les larves de scarabée japonais. De plus, la période d'alimentation des hannetons européens est plus longue, les larves se nourrissant jusqu'à tard à l'automne et recommençant à se nourrir tôt au printemps. Bien que présent au Québec et en Ontario, le hanneton

commun ne semble pas être responsable des dégâts importants causés par les vers blancs depuis une dizaine d'années dans les pelouses urbaines.

70 ANS DE PRÉSENCE

Originaire de l'Europe centrale et de l'Ouest, présent en France, en Belgique, en Allemagne et en Suisse, le hanneton européen a été découvert aux États-Unis dans la région de New York vers 1940. Les premières apparitions en sol canadien ont été répertoriées entre 1950 et 1966 dans la péninsule de Niagara en Ontario. Ce n'est qu'au début des années 1990 que le hanneton européen apparaît dans les régions de Montréal et d'Ottawa.

Hanneton européen

Le cycle de l'insecte

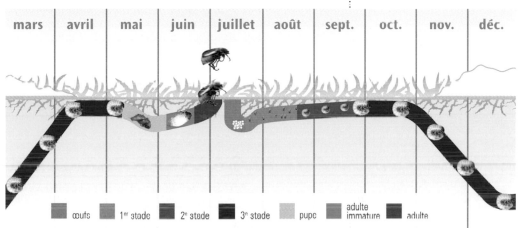

| mars | avril | mai | juin | juillet | août | sept. | oct. | nov. | déc. |

■ œufs ■ 1er stade ■ 2e stade ■ 3e stade ■ pupe ■ adulte immature ■ adulte

Espèce exotique, le hanneton européen effectue son cycle sur une période d'un an. Moins de 1% de la population aura besoin de deux ans pour compléter son cycle. Selon les régions, les adultes émergent du sol entre la troisième semaine de juin et la mi-juillet.

Il n'est pas rare de voir des centaines de hannetons adultes émerger du sol entre 20 h 30 et 21 h et prendre leur envol pour trouver un partenaire. Ces vols nuptiaux peuvent réunir des centaines d'individus et sont souvent confondus avec des essaims d'abeilles. Les hannetons se massent et tournoient autour d'un arbre ou une cheminée, pendant une trentaine de minutes avant d'atterrir. Une fois posés, l'accouplement a lieu.

Bien que les hannetons européens adultes ne se nourrissent pas ou peu du feuillage, ils peuvent néanmoins l'endommager en s'y agrippant. Seuls les adultes du hanneton commun et du scarabée japonais se nourrissent de feuillage de végétaux, au stade adulte.

Autour de 22 h, les couples commencent à se laisser tomber au sol. Avant l'aube, tous les hannetons ont quitté l'arbre ou le site de

DES DÉGÂTS IMPORTANTS

Les vers blancs sont reconnus comme étant les insectes ravageurs responsables des plus importants dégâts sur les pelouses dans les régions tempérées du Canada et des États-Unis. Ce sont les larves du hanneton européen qui occasionnent le plus de dégâts aux pelouses du Québec, de l'Ontario et du reste du Canada.

prédilection. Les femelles s'envolent en quête d'un lieu de ponte dans un rayon de 25 mètres du site d'accouplement où elles déposent entre 20 et 40 œufs dans le sol humide des pelouses du voisinage. La période de ponte s'étend généralement pendant tout le mois de juillet.

Deux à trois semaines plus tard, soit vers la fin de juillet ou au début d'août, les œufs éclosent et les larves commencent à se nourrir. C'est le 1er stade larvaire. D'une durée de trois semaines, il s'étend jusqu'à la deuxième ou troisième semaine du mois d'août.

Plus long que le premier stade, le 2e stade larvaire dure entre quatre et cinq semaines. Débutant autour de la mi-août, il se termine vers la mi-septembre, commencement du 3e stade larvaire. Les larves passent les neuf mois suivants à ce stade, soit jusqu'à la mi ou la fin du mois de mai. Dans les deux à trois semaines qui suivent, elles évoluent du stade prépupes au stade de pupes pour terminer leur cycle en adultes vers la mi ou la fin juin.

Pupaison

Transformation de la larve d'insecte en nymphe ou pupe. À ce stade les insectes restent immobiles et ne se nourrissent pas. Les pupes se transforment ensuite en adultes.

Lien phénologique pour le hanneton européen

La **pupaison** coïncide avec la pleine floraison des spirées de Van Houtte (*Spiraea* x *vanhouttei*). Les adultes commencent à voler au moment où les rosiers floribundas et hybrides de thé commencent à fleurir et le maximum de l'envol se produit pendant le pic de floraison des catalpas.

On peut suivre l'activité des adultes par l'intermédiaire de certains pièges lumineux. Ceux-ci permettent d'identifier les périodes d'émergence des adultes et le pic d'activité qui est normalement lié à la période de vol nuptial et de reproduction. Bien qu'on puisse se servir de cette technique pour capturer les adultes et ainsi en diminuer les populations (voir *Les solutions à court terme*), les pièges installés à quelques endroits dans une ville ne peuvent, en aucun cas, être utilisés pour prédire si une pelouse sera l'hôte de fortes populations de vers blancs. Cela est dû au fait que plusieurs facteurs influenceront le choix d'un site de ponte par les femelles (voir *Les causes – Pourquoi des vers blancs dans ma pelouse?*), sa capacité

La pupaison du hanneton européen coïncide avec la pleine floraison des spirées de Van Houtte.

à pondre ses œufs et la survie des œufs pondus et des larves. Évidemment, si les pièges sont installés sur une propriété et sont remplis de hannetons au petit matin, il faut mettre en branle une stratégie de prévention et de contrôle pour minimiser les dégâts possibles à venir et surtout pour prévenir le retour du ravageur.

Le hanneton commun

Bien que présent au Québec et en Ontario, les barbeaux ou hannetons communs ne semblent pas être les grands responsables des dégâts importants causés par les vers blancs depuis une dizaine d'années dans les pelouses urbaines. Cela s'explique entre autres par le fait que les hannetons communs appartenant au genre *Phyllophaga* spp. ont un cycle de reproduction (de l'œuf à l'adulte) qui dure normalement trois ans sous nos latitudes, ce qui limite les explosions de populations.

Le hanneton commun (à droite) est plus gros et plus foncé que le hanneton européen (à gauche).

Le cycle de l'insecte

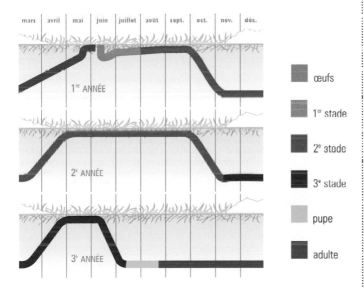

La 1re année, l'adulte émerge du sol, s'accouple, et la femelle fécondée pond normalement en juin. Les œufs, déposés à une profondeur de 5 à 10 cm, se transforment en larves et passent du premier au deuxième stade larvaire avant l'hiver.

La 2e année, les larves remontent à la surface du sol pour se nourrir et passent au troisième stade larvaire en début d'été. C'est à ce moment-là qu'elles sont les plus dommageables, car elles se nourrissent tout l'été. Elles passeront l'hiver comme telles.

La 3e année, les larves se nourrissent au printemps. Puis, pendant l'été elles se muent en pupes, puis en adultes qui vont demeurer dans le sol jusqu'au printemps suivant.

Scarabée japonais

Le scarabée japonais

Insecte redoutable et magnifique, le scarabée japonais (*Popillia japonica*), ou Japanese beetle, a été découvert aux États-Unis en 1916. Il a ensuite été signalé en 1939 en Nouvelle-Écosse et au Québec, à Lacolle. Selon l'Agence canadienne d'inspection des aliments (ACIA), le scarabée japonais est présent dans certaines régions du Québec (Sorel-Tracy, Berthier, Montréal et Montérégie), de la Nouvelle-Écosse et de l'Ontario (péninsule de Niagara, région d'Hamilton).

Ce qui rend ces insectes si redoutables, c'est qu'en plus de s'attaquer aux racines des plantes, les coléoptères adultes s'attaquent à plus de 300 espèces de plantes hôtes allant du rosier au tilleul, en passant par les vignes, certaines vivaces et plantes potagères. Insectes broyeurs, ils grignotent les parties tendres des végétaux et des fruits et, dans certains cas, provoquent la squelettisation des limbes de feuilles. Les larves s'attaquent aux racines de graminées du gazon et autres cultures. Les symptômes des dommages causés par les larves de scarabées japonais sont en tout point identiques à ceux causés par celles des hannetons européens.

Le scarabée japonais adulte est magnifique et est très facile à identifier. Son corps vert métallique est recouvert d'élytres (étuis recouvrant les ailes) de couleur cuivre et sa carapace est ornée de six touffes de poils blancs de chaque côté de l'abdomen.

Le cycle de l'insecte

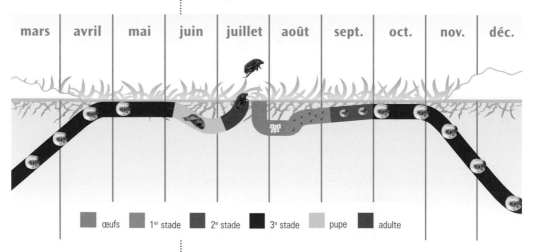

mars	avril	mai	juin	juillet	août	sept.	oct.	nov.	déc.

œufs   1ᵉʳ stade   2ᵉ stade   3ᵉ stade   pupe   adulte

Originaire de l'Asie, notamment de la Chine et du Japon, le cycle du scarabée japonais ressemble en tout point à celui du hanneton européen, à une exception : l'émergence des adultes et la ponte des femelles sont décalées de quelques semaines en juillet.

Les femelles produisent des phéromones pour attirer les mâles et s'accoupler. Elles pondent ensuite de 40 à 60 œufs dans le sol près des arbres, dont ils se nourrissent. Les larves commencent à brouter les racines des graminées et autres plantes herbacées, ainsi que le feuillage de centaines d'espèces de plantes ligneuses, quelques semaines plus tard.

Lien phénologique pour scarabée japonais

Les adultes émergent du sol au moment où fleurissent l'hydrangée arborescente (*Hydrangea arborescens grandiflora*), le chardon des champs (*Cirsium arvense*), la chicorée sauvage (*Cichorium intybus*), la carotte sauvage (*Daucus carota*), le marronnier d'Inde blanc (*Aesculus parviflora*) et le sureau du Canada (*Sambucus canadensis*).

Le dépistage

Pour mettre en place une stratégie efficace de gestion des vers blancs, il est primordial d'identifier les zones atteintes et de s'attaquer au problème pendant la période où l'insecte est le plus vulnérable, c'est-à-dire lorsque les larves sont jeunes et petites.

Le dépistage consiste à identifier les zones atteintes et évaluer le degré du problème. C'est une activité qui doit se poursuivre tout au long du cycle de vie de l'insecte, soit de la fonte des neiges jusqu'à la fin de l'automne suivant.

POURQUOI FAIRE UN DÉPISTAGE ?

* *Pour identifier les zones touchées par les vers blancs*
* *Pour identifier le stade de développement de l'insecte*
* *Pour évaluer l'importance des populations*
* *Pour évaluer si l'on doit prendre des mesures préventives*
* *Pour évaluer si l'on doit mettre en place des mesures de contrôle*
* *Pour identifier les zones où l'on devra effectuer un contrôle*

Comment procéder

À l'aide d'une pelle carrée ou d'un couteau, on tranche les trois côtés d'un carré de 30 cm (900 cm², ± 0,1 m² ou 1 pi²). On relève la pelouse et, à l'aide d'une truelle, on examine le sol jusqu'à une profondeur de 8 à 10 cm (3 à 4 "), ou plus selon l'état du sol. Pour chaque échantillon positif, on prend en note le nombre de larves par 0,1 m² (1 pi²) et les endroits où les échantillons ont été prélevés.

On refait l'exercice une dizaine de fois à des endroits différents et à chaque site d'échantillonnage. On compte le nombre de larves. Dans la littérature scientifique, on justifie la nécessité d'intervenir lorsqu'il y a plus de 5 à 20 vers blancs par 0,1 m² (1 pi²) selon que la période est irriguée ou non (voir la section *Les seuils d'intervention* dans le présent chapitre).

TROIS STADES LARVAIRES

1ER STADE LARVAIRE :
mi-août à la mi-septembre

2E STADE LARVAIRE :
septembre au début d'octobre

3E STADE LARVAIRE :
octobre à juillet

Les dates varient selon les régions.

Les adultes de scarabées japonais émergent du sol au moment où fleurit l'hydrangée arborescente.

Sachant que le problème tend à s'aggraver d'année en année si rien n'est fait, les expériences terrains amènent à fortement suggérer que soit mise en place une stratégie de prévention et de contrôle, peu importe le nombre de larves dépistées. Ce conseil est important pour les personnes qui habitent dans une région aux prises avec des problèmes de vers blancs.

Le dépistage est la première étape dans la prise en charge et la gestion du problème de vers blancs. Elle fait partie intégrante d'une démarche efficace de prévention et de réduction des populations de vers blancs. Si on n'est pas certains de bien identifier les larves que l'on a trouvées, on peut les placer dans un bocal et les apporter dans une jardinerie pour identification. On peut aussi contacter la « Ligne verte » qui est offerte dans plusieurs municipalités.

Les conditions particulières

Il faut parfois tenir compte du contexte particulier pour réaliser le dépistage.

L'humidité du sol

Dans un sol relativement humide, les larves se trouvent le plus souvent dans les cinq premiers centimètres (2") de sol (à l'interface sol-racine). Il est donc préférable d'effectuer l'échantillonnage après une journée de pluie ou à la suite d'un arrosage de la pelouse. Lors de sécheresses, les vers blancs peuvent descendre jusqu'à une profondeur de 20 cm (8"), et plus, pour se protéger de la dessiccation.

La texture et la structure du sol

Afin d'effectuer un échantillonnage représentatif, la texture et l'état du sol doivent aussi être pris en compte. Plus un sol est léger et sablonneux, plus il a tendance à s'assécher rapidement. Dans ce cas, il est préférable de vérifier non seulement en surface, mais aussi en profondeur. Un sol compact, qu'il soit argileux ou non, est moins apprécié par les vers blancs. Les populations y seront moins importantes et les vers blancs se trouveront normalement dans les quinze premiers centimètres.

Disponibilité de nourriture

Si les femelles ont pondu leurs œufs sur un site où la nourriture est absente ou inadéquate, après l'éclosion, les vers blancs peuvent se déplacer sur des distances allant jusqu'à 0,3 m (12") par jour pour trouver de la nourriture. Si, à la suite de l'éclosion des œufs, la nourriture se fait rare et que le taux d'humidité du sol est insuffisant, on peut s'attendre à un haut taux de mortalité de vers blancs.

Même si le travail de dépistage est long et fastidieux, il est indispensable.

Il faut parfois faire un dépistage en profondeur pour obtenir un échantillonnage représentatif de vers blancs.

Quand dépister ?

Cette opération se fait différemment, qu'il s'agisse de dommages apparents ou de présence non apparente.

Les dommages sont apparents

Au printemps, puis de la mi-septembre jusqu'à la fin de l'automne, les larves du 2e et 3e stade larvaire se trouvent à la surface du sol. Elles sont alors plus grosses et plus voraces.

L'hiver les larves se déplacent en profondeur sous le niveau de gel. On peut alors s'attendre à un taux de mortalité oscillant entre 6 % et 53 % pour une moyenne de 24 % selon les rigueurs de l'hiver et la couverture de neige.

À partir de mars ou d'avril et jusqu'au mois de mai, les larves remontent en surface pour se nourrir. L'activité nocturne des ratons laveurs et des moufettes labourant la pelouse est aussi un bon indicateur de la présence de vers blancs sous la pelouse. Il est alors souhaitable d'échantillonner aux endroits où les dommages sont apparents : espaces clairsemés au pourtour des plaques jaunes ou brunes. On ne doit pas oublier de vérifier les zones limitrophes entourant les plaques de gazon mort, car les larves se déplacent pour atteindre leur nourriture.

Le dépistage des vers blancs peut aussi bien se faire au printemps…

qu'en automne.

Malheureusement, les périodes où les dommages sont apparents et les larves faciles à observer ne sont pas propices au contrôle. De plus, si les conditions environnementales et agronomiques ne sont pas améliorées, les hannetons auront tendance à pondre dans les mêmes endroits année après année. L'identification précoce des zones abîmées permet donc, le temps venu, de concentrer les efforts aux bons endroits.

La présence est non apparente

Pour entreprendre un suivi d'une nouvelle génération de vers blancs, le meilleur moment est environ quatre à six semaines après la période d'activité maximale des adultes. À cette époque (début à la mi-août), les dommages ne sont pas encore évidents, il faut s'armer de patience, d'une bonne truelle et d'une loupe, car les larves, au premier stade larvaire, sont minuscules.

PHOTOS-MÉMOIRES

Je vous suggère de prendre des photos des zones affectées ou de dessiner un croquis sur lequel vous indiquez les endroits ayant fait l'objet de dommages par les vers blancs. Ces informations seront nécessaires pour bien cibler les sites où sera mise en place une stratégie de contrôle (installation de barrières à la ponte, vaporisation de répulsifs, dépistage au mois d'août, application de nématodes, etc.).

Une fois qu'on a appris à les repérer, les vers blancs sont faciles à identifier.

VIVE LE DÉPISTAGE PRÉCOCE

Dans le cadre d'une gestion intégrée et naturelle des populations de vers blancs, l'échantillonnage tôt au printemps est fondamental, car c'est à cette période de l'année que les contrôles naturels et biologiques sont le plus efficaces.

Il est important d'effectuer un minimum de dix échantillons de $0,1\,m^2$ ($1\,pi^2$) dans les endroits les plus propices aux vers blancs (talus, devanture de maison, endroits ensoleillés). Attention, les larves ne sont généralement pas réparties de façon uniforme dans une pelouse. On peut les observer en groupes, ici et là.

Pour assurer un bon dépistage, il faut donc s'assurer d'examiner un maximum d'emplacements. Si on découvre plus de deux ou trois larves à chaque endroit où l'on a échantillonné et surtout si l'on habite dans un quartier où les vers blancs font des ravages, il faudra intervenir pour contrer leur prolifération.

Quand dépister le scarabée japonais

Tout comme pour le hanneton européen, le dépistage au stade larvaire commence environ quatre à six semaines après la période d'activité maximale des adultes, qui se produit environ deux semaines plus tard que celle du hanneton européen. C'est donc à partir de la fin août qu'il faut amorcer les activités de dépistage.

Au stade adulte, bien que les scarabées japonais soient de gros insectes facilement identifiables, le dépistage précoce permet d'intervenir au bon moment pour minimiser les dommages aux végétaux. L'utilisation d'un piège à scarabée japonais s'avère un excellent choix.

Dans les régions où les populations de scarabées japonais sont importantes, par exemple la région de Sorel au Québec, les pièges auxquels on ajoute des phéromones se révèlent de très bons outils non seulement pour le dépistage, mais aussi pour le contrôle des adultes. Il faut choisir les pièges qui contiennent deux sortes d'appâts, des phéromones utilisées comme appât sexuel pour attirer et capturer les mâles et des attractifs floraux pour attirer à la fois les scarabées japonais mâles et femelles.

Le piège à scarabée japonais muni d'appâts permet un bon dépistage et agit en tant que contrôle en diminuant les populations de cet insecte.

Les seuils d'intervention

Plus le gazon est bien entretenu et en santé, plus le **seuil d'intervention** est élevé. Par exemple, dans les gazons diversifiés bien entretenus, bien irrigués et tondus à plus de 8 cm (3"), plusieurs dizaines de larves par mètre carré peuvent être tolérées sans dommages importants.

En ce qui a trait au hanneton européen, les experts s'entendent pour dire que le seuil de tolérance ne doit pas excéder 10 larves par 0,1 m² (1 pi²) sur une monoculture de pâturin du Kentucky non irriguée, et jusqu'à 20 larves par 0,1 m² (1 pi²) dans ce même type de pelouse si elle est irriguée, pour ne pas subir de dommages substantiels.

Il est à noter que ces seuils d'intervention sont un outil permettant d'évaluer s'il y a urgence d'agir. Dans une approche écologique et naturelle, ces seuils ne justifient pas l'utilisation de pesticides de synthèse, puisque ces derniers peuvent contribuer à exacerber le problème à long terme. Pour bien comprendre les causes et les conditions responsables de l'infestation et pour choisir les bonnes stratégies de contrôle, chaque cas doit donc être évalué en prenant en considération :

* l'historique de la problématique ;
* l'historique des pratiques d'entretien et de fertilisation ;
* l'évaluation de la qualité du sol ;
* l'évaluation de la qualité de la pelouse (diversité, présence de chaume) ;
* la fréquence d'utilisation des pesticides de synthèse (s'il y a lieu) ;
* le stade de développement de l'insecte par rapport à son cycle ;
* la température et la pluviométrie ;
* et autres facteurs causals.

Seuil d'intervention

Limite au-dessus de laquelle on considère qu'il faut prendre des actions pour contrôler une problématique.

Le dépistage permet d'évaluer si on a affaire à une petite...

ou à une grande population. Il sert aussi à identifier le seuil d'intervention.

Les solutions
à court terme

AVANT D'EFFECTUER UNE DÉMARCHE de contrôle, il faut tout d'abord s'assurer de la présence de l'insecte et de son stade de développement. Voici donc quelques questions qu'il faut se poser afin de faire les bons choix de produits ou de techniques de contrôle :

- Quel stade de développement l'insecte a-t-il atteint?
- Les vers blancs (larves) sont-ils encore présents?
- Si oui, sont-ils nombreux?
- Les adultes sont-ils présents?
- Les dommages sont-ils réellement causés par les vers blancs?
- Les dommages sont-ils causés par des ravageurs secondaires?
- Les dommages causés par des larves de vers blancs proviennent-ils du hanneton commun, du hanneton européen ou du scarabée japonais?

Une fois que l'on a répondu à ces questions, il est possible de choisir la meilleure combinaison de stratégies de contrôle afin de réduire les dommages de vers blancs sous un seuil acceptable.

Il est important de noter que toutes les stratégies proposées visent à réduire les populations de vers blancs de manière à ce qu'il n'y ait pas de dommages apparents. Cibler l'éradication de façon naturelle ou chimique est utopique. Même lorsqu'ils sont utilisés dans les meilleures conditions, les pesticides de synthèse n'arrivent pas à éradiquer le problème, ni à empêcher le retour éventuel des vers blancs dans la pelouse.

Pour mettre en place une stratégie efficace, il faut donc distinguer les stratégies qui auront pour but de réduire les populations des insectes adultes des stratégies qui sont dirigées vers le contrôle des vers blancs (stade larvaire). Pour obtenir des résultats probants et durables, les deux types de stratégies doivent être mises en œuvre en même temps.

Les stratégies de contrôle des adultes

Piégeage, cueillette manuelle et produits répulsifs sont à la base de ces stratégies.

Les pièges lumineux

Il s'agit de pièges fabriqués à l'aide d'une ampoule de 15 ou 25 watts ou d'un tube fluorescent à ultraviolet de 82 watts surmonté d'une base réfléchissante (aluminium). On les suspend à 30 cm (12") au-dessus d'une poubelle remplie au tiers d'eau savonneuse, sur lequel on aura déposé un grand entonnoir en tissu ou autre matériel, avec évidemment, la partie évasée vers le haut. Les insectes adultes attirés par la lumière auront tendance à se poser dans l'entonnoir et à glisser au fond pour se noyer dans l'eau.

Bien que peu d'information soit disponible sur l'efficacité de cette approche, l'utilisation de pièges peut tout de même faire partie d'une stratégie de dépistage et de contrôle.

Quand les utiliser?

On installe les pièges lumineux au début de la période d'envol des adultes, soit vers la fin juin et on laisse en place jusqu'au moment où on ne récolte plus de hannetons.

Où les installer?

En période de forte infestation, on installe des pièges à environ deux mètres de distance, tout particulièrement sous les arbres, endroit de prédilection des couples cherchant à se reproduire.

Efficacité potentielle

Aucune étude scientifique connue n'a abordé l'efficacité de cette méthode. Les informations sont anecdotiques. À Saint-Eustache, une dame m'a rapporté que cette technique lui permettait de recueillir entre 30 et 90 hannetons par soir.

En Europe, où le problème de vers blancs est particulièrement important, certains individus ont obtenu des résultats très probants. Les soirs d'activités intenses, ils arrivent à piéger des centaines de hannetons.

Attention, cette stratégie a ses limites. En effet, si les hannetons attirés par la lumière ne sont pas capturés dans les seaux d'eau, il est possible que des adultes se posent au sol et que les femelles pondent des quantités importantes d'œufs sur la pelouse. Pour éviter cette situation, on pose une barrière physique (voir plus loin la section *Les barrières physiques à la ponte*).

Piège lumineux

Les pièges à scarabées japonais

Il existe des pièges spéciaux pour contrôler les scarabées japonais. Vendus dans le commerce, ils utilisent des appâts pour attirer ces coléoptères. Dans de bonnes conditions, ils peuvent capturer jusqu'à 75% des insectes volants. Toutefois, cette technique n'est efficace que lorsqu'il y a de nombreux pièges répartis dans un quartier ou dans une région affectée.

Les différents modèles de pièges vendus dans le commerce utilisent deux types d'appâts. Le premier est un appât sexuel qui attire les mâles; l'autre est un appât floral avec des huiles essentielles pour attirer les mâles et les femelles.

Quand les utiliser ?

Les scarabées japonais adultes émergent du sol et sont actifs, selon les régions, du début du mois de juillet au début du mois d'août. Pour être efficaces, les pièges devraient être installés au début de la période de vol. On doit s'assurer de renouveler les appâts annuellement, sinon l'efficacité des pièges en est grandement réduite.

Où les installer ?

Pour obtenir de bons résultats, il est préférable que la plupart des voisins installent ces mêmes pièges, sinon tous les scarabées japonais se donneront rendez-vous sur les végétaux des jardiniers qui n'ont pas mis en place des pièges… De plus, il ne faut pas les installer près des végétaux d'ornements que cet insecte est susceptible d'attaquer.

Efficacité potentielle

Les scarabées japonais sont particulièrement friands des rosiers.

Les pièges à scarabées japonais qui utilisent les deux types d'appâts sont tellement efficaces que certains jardiniers ont réussi à attirer des centaines d'adultes dans les pièges installés, et malheureusement aussi, sur leurs arbres et leurs rosiers. Les plus débrouillards ont néanmoins réussi à se débarrasser de tous les scarabées japonais en combinant l'utilisation des pièges à la cueillette manuelle quotidienne des adultes.

La cueillette manuelle des adultes

Tôt le matin, au lendemain des pics d'activités des adultes, tout particulièrement lorsque les températures sont plus fraîches, on peut recueillir à la main ou avec un petit aspirateur à sac jetable ou de type «Shop Vac» les hannetons et les scarabées japonais engourdis. On peut ensuite les congeler dans un contenant fermé pendant 48 heures. La congélation tue les insectes. On peut également, à l'aide d'un bâton, les faire tomber dans un seau à moitié rempli d'eau savonneuse ou, encore, secouer les plantes infestées au-dessus d'une toile où l'on recueille les hannetons. Si on a installé des toiles barrières physiques, il est possible de collecter les adultes qui, tentant d'émerger du sol, ont été emprisonnés sous les toiles.

Efficacité potentielle

Exigeants en temps, les résultats sont limités, mais non négligeables lorsqu'on considère l'élimination du nombre important d'œufs potentiellement pondus pour chaque femelle.

Les barrières physiques à la ponte

C'est une façon simple et très économique de réduire le nombre de vers blancs dans une pelouse, et d'empêcher les femelles d'y pondre leurs œufs. Cette technique consiste à disposer des toiles (ombrière, toile de jute, etc.) sur la pelouse et à bien les ancrer aux endroits où les dommages sont les plus fréquents, ou encore mieux sur toute la surface de la pelouse.

La cueillette manuelle des insectes est souvent longue et ennuyeuse

Quand les installer?

Le cycle de développement de l'insecte permet d'identifier le fait que les adultes émergent du sol pour s'accoupler entre la fin juin et le début de juillet selon les régions. D'après les observations des dernières années, les nuées d'adultes sont fréquemment vues tournoyantes autour des arbres aux alentours de la fête du Canada (1er juillet). On installe ces couvertures de protection et on les laisse en place pendant toute la période de ponte, soit entre la troisième semaine de juin jusqu'à la troisième ou quatrième semaine de juillet, selon les régions.

Les matériaux

Si on choisit de laisser la toile en tout temps (pendant la période prescrite), on doit opter pour un matériel qui n'étouffe pas la pelouse, ne la brûle pas ou ne l'empêche pas de faire sa photosynthèse (voir *Test antibrûlure*).

Si elles ne sont pas très esthétiques, les barrières physiques à la ponte sont, par contre, efficaces dans les bonnes conditions d'utilisation.

Les toiles d'ombrières sont conçues pour bloquer une partie du rayonnement solaire. La plupart de ces types de toiles vendues au grand public sont fabriquées de matériel résistant aux rayons UV. Elles laissent passer 50% de la lumière, ce qui permet à la pelouse d'effectuer de la photosynthèse tout en réduisant la température ambiante. Ces toiles sont généralement conçues pour durer plus de cinq

Plusieurs types de toiles peuvent être utilisés, comme ici une couverture flottante. Le plus important, c'est qu'elles ne provoquent pas de brûlure du gazon.

ans lorsqu'elles sont utilisées constamment au soleil. Puisqu'elles ne sont utilisées qu'un mois par année, elles dureront donc longtemps.

Il est préférable de choisir une toile de couleur pâle ou verte. Les toiles noires qui absorbent les rayons solaires risquent de brûler la végétation et devront absolument être retirées le matin de la surface du gazon et réinstallées le soir avant 20 h.

La toile de jute est une alternative écologique intéressante. Certaines sont tissées de façon à laisser passer suffisamment de lumière pour qu'elles affectent peu la capacité de photosynthèse des graminées. Aussi, pour protéger la santé de sa famille, on doit s'assurer que la toile de jute n'est pas traitée avec des pesticides. La toile de jute est un choix plus écologique, car elle est décomposable, et même compostable.

Si on opte pour un matériel qui est laissé sur la pelouse au soleil toute la journée, celui-ci pourrait abîmer la pelouse. Il faudra donc le retirer le matin et l'étendre à nouveau, le soir venu.

TEST ANTIBRÛLURE

Pour s'assurer que le matériel synthétique ou la toile de jute utilisée n'abîmera pas la pelouse, on peut faire, avant son achat en grande quantité et son utilisation, un test de résistance à la brûlure. On choisit une journée ensoleillée et chaude et on dispose la toile sur une section de pelouse en début de matinée. À partir de 9 h ou 10 h, et jusqu'à 16 h, toutes les heures, on vérifie l'état de la pelouse. Si le gazon semble jaunir, brunir ou s'affaisser (faner), on retire immédiatement la toile. Il faut être particulièrement vigilant entre 12 h et 15 h.

Si la toile semble passer ce premier test, on tente l'expérience sur toute une journée ensoleillée. Cependant, pour éviter tout problème, on demeure vigilant et on vérifie régulièrement l'état de la pelouse. Si on constate des brûlures, on enlève immédiatement la toile.

Si la toile passe le test, elle peut alors être laissée sur la pelouse toute la journée. Pour éviter l'établissement de maladie ou de tous autres problèmes, il est néanmoins conseillé de la retirer de la surface de la pelouse tous les deux ou trois jours. Pour ce faire, on l'enroule et on la dispose à l'ombre. Cette étape est particulièrement importante s'il pleut beaucoup.

Efficacité potentielle

Les résultats peuvent être spectaculaires lorsque les toiles couvrent l'entièreté des zones potentiellement problématiques. Aussi, lorsque plusieurs toiles sont nécessaires pour couvrir une surface donnée, elles doivent se chevaucher et être bien ancrées sur tout le pourtour pour éviter que des femelles ne puissent s'y glisser à la recherche d'un lieu de ponte.

Sachant que les vers blancs étaient présents en forte densité dans le quartier et que leurs voisins étaient aux prises avec des vers blancs, plusieurs jardiniers ont eu recours à cette technique depuis les quatre dernières années. Ces barrières physiques se sont avérées être à ce point efficaces, qu'aucun dommage n'a été répertorié depuis leur adoption.

Cette technique permet aussi de faire d'une pierre deux coups. En effet, les toiles posées pendant la période d'émergence des adultes (fin juin) agissent comme pièges et empêchent les adultes présents dans le sol d'émerger. Pour les détruire on peut les récolter et les noyers dans un seau d'eau savonneuse et ensuite laisser les oiseaux s'en nourrir, ou encore les écraser sous le pied.

Les répulsifs

Cette autre stratégie consiste à vaporiser la pelouse et les environs (arbres et arbustes où les hannetons semblent se réunir en groupe) avec des substances répulsives telles que des huiles essentielles, de l'huile ou de l'extrait d'ail, et même du neem afin d'empêcher les femelles adultes du hanneton européen de pondre.

Pour réaliser cette opération, les protagonistes de cette approche se servent d'un applicateur que l'on fixe au boyau d'arrosage ou encore d'un vaporisateur sous pression de type Solo, etc. Une fois la solution préparée, il est recommandé de traiter les arbres, arbustes, les haies et évidemment la pelouse avant que les adultes ne s'activent en groupe et n'émergent du sol, soit entre 20 h 30 et 21 h.

Attention, certains végétaux peuvent être sensibles aux produits utilisés, il faut donc faire des tests et vérifier qu'il n'y a pas une phytotoxicité potentielle. Il faut éviter les végétaux fragiles tels que les fougères et certains conifères bleus qui perdront alors leur couleur.

Les produits

La plupart des recettes suggérées contiennent de l'huile ou de l'extrait d'ail, de l'huile ou de l'extrait de neem, ainsi que des huiles essentielles. Leurs actions se veulent répulsives et sont censées éloigner ou repousser les hannetons adultes et éviter ainsi la ponte des femelles dans les pelouses traitées.

Le savon à vaisselle liquide est fréquemment ajouté au mélange, car il agit comme **surfactant**, permettant ainsi aux ingrédients de bien se mélanger et adhérer aux surfaces sur lesquelles le produit est vaporisé.

Certains y ajoutent de l'extrait d'ail (vendu dans le commerce en tant que répulsif à moustique), ou de neem, pour augmenter son efficacité. D'ailleurs, Paul Sachs et Richard T. Luff, auteurs de *Ecological Golf*

Quand on enlève la toile, le gazon doit être aussi beau qu'au moment où on l'a installée.

Surfactant

Produit qui, introduit dans un liquide, permet d'en augmenter les propriétés mouillantes en diminuant sa tension superficielle.

Une décoction avec de l'ail permet de préparer un répulsif naturel contre les vers blancs.

Course Management, mentionnent qu'un extrait d'ail appliqué en profondeur (pas juste sur la surface du gazon) tous les dix jours pendant la période de ponte donne de bons résultats.

UNE RECETTE EFFICACE

Une horticultrice des Basses-Laurentides a testé et mis au point un mélange qu'elle utilise depuis quelques années. Sa recette consiste à faire une application journalière (tous les soirs vers 21 h pendant la période de ponte) de savon à vaisselle d'une concentration de 2 % (2 parties de savon à vaisselle liquide dans 100 parties d'eau) auquel elle ajoute une quinzaine de gouttes d'huile essentielle telle que la citronnelle, la lavande, l'eucalyptus, l'anis, le sapin.

Si l'on se sert d'un applicateur que l'on fixe au boyau d'arrosage, on remplit de savon liquide concentré auquel on ajoute les huiles essentielles et on positionne la roulette permettant d'ajuster la dilution pour donner une concentration de 2 % de savon. Les instructions fournies avec l'épandeur permettent à l'utilisateur de bien ajuster le distributeur pour obtenir la dilution.

Le neem est cité dans plusieurs sites Internet internationaux (É.-U., Inde, Afrique, le neem étant homologué et très utilisé dans certains pays), et il est recommandé comme répulsif et **antiappétant**. Certains sites américains mentionnent que ce produit est recommandé pour empêcher la ponte des hannetons dans les pelouses. Précisons toutefois qu'au moment de l'écriture de ce livre, le neem et les huiles essentielles ne sont pas encore homologués pour cette utilisation au Canada.

Antiappétant

Substance qui, lorsqu'elle est ingérée par les insectes, provoque chez eux des désordres digestifs qui les entraînent à cesser de s'alimenter.

Efficacité potentielle

De bons résultats ont été obtenus lorsque l'application des répulsifs était répétée quasi quotidiennement pendant le pic de vol des adultes, c'est-à-dire autour de la première semaine de juillet dans la grande région de Montréal. Malheureusement, aucune donnée scientifique n'est disponible à ce jour.

Les graines du margousier donnent l'huile de neem, un répulsif et un antiappétant.

Les stratégies de contrôle des larves

La cueillette manuelle, le contrôle mécanique et biologique, ainsi que l'utilisation de pesticides à faibles impacts, sont à la base de ces stratégies.

La cueillette manuelle

Si le gazon est l'hôte d'activité nocturne animale fréquente et qu'au petit matin, il est sens dessus dessous, il peut être avantageux de faire une petite cueillette manuelle des vers blancs. C'est à l'automne et au printemps que les vers blancs sont les plus gros et c'est pour cette raison que les moufettes et les ratons laveurs s'activent la nuit. On profite de ce moment de l'année pour effectuer des visites journalières et cueillir les larves qui se trouvent dans les premiers centimètres du sol.

Comment procéder?

Que les dommages soient importants ou limités, on procède à une collecte manuelle des larves. Dans ce dessein, on soulève le gazon dans la zone et ses pourtours affectés, et on creuse dans les premiers centimètres du sol. Pour faciliter la manœuvre, on effectue cette tâche après une pluie ou un bon arrosage, puisque les vers blancs restent en surface lorsque le sol est humide.

Une fois récoltés, pour les détruire, on les noie dans un seau d'eau savonneuse à demi rempli. On peut ensuite laisser les oiseaux s'en nourrir ou les ajouter au tas de compost. Il est important de replacer les mottes de gazon et de garder le sol humide pour assurer une bonne reprise.

Efficacité potentielle

Bien qu'efficace sur des petites surfaces, la cueillette manuelle ne peut que réduire les populations de vers blancs (et les dommages).

Le contrôle mécanique

L'aération mécanique

Cette technique nécessite l'utilisation d'une carotteuse mécanisée qui est normalement utilisée pour effectuer l'aération d'un sol compacté. Il faut louer l'appareil qui retire les carottes de sol, qu'il faut d'ailleurs laissées sur la pelouse.

On effectue une aération mécanique «intensive» quand les larves sont au 2e ou au 3e stade, soit au printemps, avant la fin mai ou à l'automne, entre la fin septembre et le mois de novembre, ou encore aux deux périodes.

La cueillette manuelle des larves doit se faire sur les parties endommagées, là où la pelouse se soulève facilement, ou sur les parcelles visitées par les moufettes ou les ratons laveurs.

Au printemps, lorsqu'on passe l'aérateur sur la pelouse, on détruit une partie des larves.

À ces époques, dans un sol humide, les larves logent dans les premiers centimètres du sol et une certaine proportion de la population est détruite par le passage de l'aérateur.

Cette technique n'est efficace que si les tiges métalliques percent le sol en profondeur. Attention, en sol trop sec et trop compact il est difficile d'atteindre les profondeurs voulues. La technique est évidemment plus efficace dans les sols sablonneux.

On doit effectuer un passage dans les deux directions, soit perpendiculaire l'une à l'autre. Les trous doivent être faits à une distance de trois à cinq centimètres pour être plus efficaces.

COMPENSER LES PERTES

L'aération mécanique stimule l'activité biologique du sol, ce qui aura pour conséquence d'utiliser la matière organique présente. Sachant que cette composante est cruciale à la santé et à la qualité du sol, il est nécessaire de compenser cette perte par un ajout de compost par le biais d'un terreautage fait à la suite de l'aération.

Utilisée seule, cette technique ne donne que des résultats mitigés. Par contre, en combinant cette technique avec d'autres techniques de contrôle et de prévention, les résultats peuvent être intéressants.

L'aération avec des souliers cloutés

Sur les pelouses sablonneuses de petites superficies, on peut utiliser des souliers à clous qui servent à transpercer les larves. Il existe plusieurs modèles sur le marché. On doit s'assurer que les clous mesurent 5 cm (2") ou plus de long.

Tout comme pour l'aération mécanique, l'automne et le printemps sont les meilleurs temps pour effectuer cette manœuvre, car les larves sont au 2e ou au 3e stade larvaire et se trouvent près de la surface du sol. Plus la pression appliquée est grande, meilleurs seront les résultats.

L'entomologiste Whitney Cranshaw, de l'Université du Colorado, a prouvé que ces souliers sont aussi efficaces pour tuer les vers blancs qu'un traitement insecticide au diazinon, ce qui signifie 56 % de mortalité en circulant (un bon entraînement) de trois à cinq fois sur toute la superficie de la pelouse.

Cette technique est inefficace sur les pelouses au sol compact ou lorsqu'elle est utilisée par des enfants ou des adultes de faible poids.

Les souliers à clous ont le même effet qu'un aérateur mécanique sur les larves de vers blancs.

UN BRICOLEUR INGÉNIEUX

J'ai eu le plaisir de rencontrer un citoyen bricoleur qui a mis au point un rouleau clouté qui, après deux ans d'utilisation et l'adoption de bonnes pratiques, avait permis de régler son problème de vers blancs.

Le contrôle biologique

Favoriser les prédateurs naturels

En plus des moufettes, ratons laveurs et oiseaux, les vers blancs ont plusieurs ennemis naturels. Plusieurs insectes bénéfiques, comme les carabes et les fourmis, s'attaquent aux œufs et aux larves de hannetons. Certaines guêpes prédatrices et parasitoïdes (*Tiphia* spp., *Pelecinus* spp.) contribuent à limiter les populations. Plusieurs pathogènes, dont des nématodes, des champignons et des bactéries, se nourrissent des larves. Il est donc important de maintenir les populations d'ennemis naturels élevées en évitant l'utilisation des pesticides, qu'ils soient chimiques ou naturels.

Beaucoup d'oiseaux sont friands des vers blancs. Favoriser leur présence permet un contrôle naturel sans les inconvénients reliés à la présence des moufettes et des ratons laveurs.

UNE DÉMARCHE À FAVORISER

Plusieurs stratégies peuvent être utilisées pour soutenir le contrôle biologique. On devrait :

- *adopter l'écopelouse et favoriser la biodiversité végétale ;*
- *planter des arbres et des arbustes ;*
- *favoriser la présence de plantes résistantes et peu exigeantes en eau et en engrais ;*
- *faire une grande place aux végétaux indigènes ;*
- *installer des cabanes à oiseaux afin d'attirer des prédateurs ailés (merles, quiscales, cardinaux, etc.) qui se nourrissent de vers blancs ;*
- *éviter l'utilisation de pesticides, tout particulièrement les pesticides de synthèse.*

Les prédateurs naturels peuvent être très efficaces pour réduire les populations de vers blancs dans une pelouse. Par contre, ce faisant, les mammifères peuvent occasionner des dégâts physiques assez spectaculaires.

Utiliser des nématodes

Les nématodes entomopathogènes sont des vers microscopiques qui parasitent les larves d'insectes ravageurs des végétaux d'ornement et des cultures fruitières et légumières et s'en nourrissent. On les appelle parfois des « nématodes insecticides » (*insecticidal nematodes*).

Malgré les commentaires négatifs de certains détracteurs, l'utilisation de nématodes entomopathogènes, dans une stratégie de contrôle intégrée, est un moyen de lutte très prometteur contre les vers blancs dans les pelouses résidentielles, les terrains de golf et les parcs. Bien que leur efficacité soit limitée (ce n'est pas un pesticide) et que de bonnes conditions environnementales soient nécessaires pour maximiser la mortalité des vers blancs, cet outil peut

DES VERS PARASITES

Les nématodes tuent leur proie en pénétrant à l'intérieur des jeunes larves de vers blancs et en relachant des bactéries qui les font mourir dans les 24 à 48 heures.

PAS EFFICACE AU PRINTEMPS !

À cause des températures fraîches et de la grosseur des vers blancs (stade 3), au printemps les traitements avec des nématodes ne sont pas efficaces.

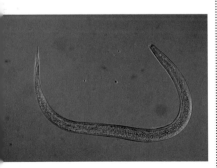

Les nématodes sont de microscopiques vers qui parasitent les larves de hannetons ou de scarabées japonais.

donner des résultats de contrôle très intéressants et créer un équilibre tel qu'à la suite de traitements par les nématodes, la pelouse ne subit plus ou très peu de dommages. Pour obtenir de tels résultats, les nématodes doivent faire partie d'une stratégie de contrôle naturel et être utilisés en combinaison avec des pratiques culturales et agronomiques favorables.

UN COMPLÉMENT !

Selon les résultats d'une recherche commandée en 2005 par le Western Canada Turfgrass Association, the Canadian Nursery Landscape Association, en collaboration avec plusieurs municipalités, les nématodes s'avéreraient un moyen de lutte biologique très efficace dans le contrôle des hannetons européens lorsqu'ils sont utilisés en combinaison avec des pratiques de saine gestion de la pelouse.

Les nématodes sont des organismes vivants. Ils sont vendus sous forme de poudre mouillable (argile) ou sur un support fait d'une éponge imbibée à diluer de façon à pouvoir survivre durant leur transport. Afin de s'assurer de la fraîcheur du produit vendu, on doit vérifier qu'il a été conservé dans un réfrigérateur chez le commerçant. On doit faire de même jusqu'au moment de l'utilisation. On vérifie aussi la date d'expiration inscrite sur le paquet pour ne pas acheter un produit périmé.

Deux espèces (*Heterorhabditis bacteriophora* ou HB, *Steinernema carpocapsae* ou SC) sont généralement vendues en jardinerie. L'espèce *Heterorhabditis bacteriophora* (HB) plus mobile (*cruiser*) dans les sols est reconnue comme étant plus efficace contre les larves (vers blancs) du scarabée japonais, du hanneton commun et du hanneton européen.

Puisque vivants, les nématodes sont sensibles aux rayons du soleil et au dessèchement. Il est donc impératif d'effectuer l'application tôt le matin, en soirée ou par journée pluvieuse. Pour éviter la dessiccation des nématodes, toute application doit être précédée et suivie d'un arrosage ou d'une bonne pluie.

Pour être efficace, celle-ci se fait entre la mi-août et la mi-septembre lorsque les jeunes larves (1er et 2e stade larvaire) se nourrissent près de la surface. On garde ensuite le sol humide pendant au moins dix jours. Pendant ou après l'application, on vaporise la pelouse avec des extraits d'algues sous forme liquide pour accroître la résistance naturelle des graminées. On répète au besoin.

Pour obtenir un maximum de mortalité des larves, il faut inonder les sites abritant les vers blancs à l'aide du produit. Pour ce faire, on achète le produit qui contient le plus grand nombre de nématodes *Heterorhabditis bactériophora* (50 millions) et qui permet de couvrir en moyenne, $230\,m^2$ ($2\,500\,pi^2$).

Lors de l'achat, les nématodes sont en état de dormance, il faut donc les « réveiller » et les utiliser dans la demi-heure qui suit. On commence par bien lire les instructions fournies avec le contenant. Voici, de manière générale, comment procéder :

- on vide tout le contenu du paquet et on presse l'éponge ou on dilue l'argile dans un seau d'eau à température ambiante (20 °C) ;
- on mélange doucement afin d'obtenir une solution homogène ;
- on attend une dizaine de minutes pour réveiller les nématodes ;
- on enlève le filtre du pulvérisateur (< 500 microns) pour éviter de broyer les nématodes ;
- on verse le mélange dans le pulvérisateur et on effectue l'application dans la demi-heure qui suit ;
- on agite doucement et régulièrement pendant l'application pour assurer une distribution uniforme ;
- on utilise un grand volume d'eau lors de l'application afin de faire pénétrer les nématodes dans le sol, ceux-ci se déplaçant dans l'eau du sol ;
- après l'application, on arrose abondamment la zone traitée ;
- on maintient les zones traitées humides, mais non détrempées pendant un minimum de dix jours. Les nématodes peuvent mourir dans un environnement sec et sans oxygène.

La préparation de solutions avec des nématodes doit être entourée de plusieurs précautions.

Si la propriété est petite, il est recommandé de traiter toute la pelouse. Si au contraire, elle est grande et que le budget est limité, on cible les zones qui ont été affectées au printemps précédent (on se réfère à son plan des dommages) ou encore, les zones où l'on vient de dépister la présence de vers blancs.

Il faut bien suivre les recommandations du fabricant lors de la préparation d'une mixture à base de nématodes.

Pour des superficies plus importantes, il est possible de faire une commande spéciale auprès de certaines jardineries, ou des fabricants eux-mêmes, et de commander 100 millions, 200 millions, et même 500 millions de nématodes pour couvrir des superficies pouvant aller jusqu'à 2 800 m² (30 000 pi²).

Pour assurer le maintien des conditions hydriques favorables aux nématodes, il vaut mieux éviter de traiter en un seul passage de grandes surfaces, à moins que la propriété ne soit dotée d'un système d'irrigation programmable.

Afin d'évaluer l'efficacité du traitement sur les vers blancs, un test terrain peut être effectué pour apprécier la mortalité de ces derniers. Pour ce faire, avant d'effectuer le traitement, on creuse à différents endroits et l'on enfonce un bâton aux endroits où on a observé la présence de larves de vers blancs (pas seulement les

symptômes de dommages). On prend en note le nombre et l'état des larves présentes à chaque endroit. On replace le sol en laissant les vers blancs où ils sont.

À la suite du traitement, on attend 48 heures, puis on effectue une première observation aux endroits marqués. On recommence trois à cinq jours plus tard. Les larves parasitées changent de couleur et de texture, passant du blanc crème au blanc jaunâtre, puis au rougeâtre ou grisâtre (selon l'espèce de nématodes) pour finalement devenir brunes ou gris foncé après cinq à sept jours. Les larves vont du même coup changer de texture, car le ver blanc va se liquéfier de l'intérieur. À cause de ce phénomène, il est possible qu'après plusieurs jours, les vers blancs semblent avoir fondu et disparu.

Les larves attaquées par les nématodes rabougrissent et changent de couleur.

Si le traitement est fait en respectant les consignes mentionnées plus haut, on peut s'attendre à obtenir un taux de mortalité variant, selon les conditions, entre 30 et 60 %. Cela peut sembler peu, mais il faut se rappeler que même les pesticides de synthèse ne réussissent pas à détruire 100 % des insectes ciblés.

PAS DES PESTICIDES

Il ne faut pas utiliser les nématodes comme s'ils étaient un pesticide. Les nématodes sont des organismes vivants et sont utilisés dans une stratégie de lutte biologique. Le terme à retenir ici est stratégie. Une stratégie implique la combinaison de techniques et d'approches pour arriver à une fin.

En ce qui concerne la pelouse, le résultat désiré n'est pas nécessairement la destruction de tous les vers blancs, mais bien une diminution des populations à un niveau tel qu'il en résulte une réduction des dommages à un niveau acceptable.

Il est important d'apporter cette nuance, car, malgré un taux de mortalité de 30, 40 ou 50 %, j'ai constaté, à maintes reprises, l'absence de dommages sur les pelouses dans l'année qui a suivi le traitement de nématodes et les années subséquentes. Le secret ? Toutes les propriétés où le traitement de nématodes a bien fonctionné, c'est-à-dire, disparition des dommages malgré la présence d'un certain pourcentage de vers blancs, l'application de nématodes était dans tous les cas, combinée à l'adoption de bonnes pratiques (tonte haute, biodiversité, engrais naturels, compost). Les dommages étaient totalement absents ou minimes, même sur les propriétés où les populations de vers blancs étaient importantes (jusqu'à 60 larves par pied carré au moment du traitement) et que les dommages avaient été majeurs le printemps précédent.

Ce terrain, endommagé par les vers
blancs, puis réparé…

et ensuite traité au mois d'août
avec des nématodes,
a retrouvé sa beauté.

Les pesticides à faible impact

Tout d'abord, il faut mentionner qu'il est très difficile de détruire les vers blancs à l'aide d'insecticide de contact (qu'ils soient naturels ou synthétiques), car les vers blancs se trouvent dans le sol et non en surface du sol. Pour être efficaces, ces pesticides doivent entrer en contact avec le corps des vers blancs, ce qui est quasi impossible puisqu'ils sont cachés en profondeur et protégés par le sol. À moins que la pelouse ne soit complètement retirée ou que le sol ne soit très sablonneux, pour obtenir un certain degré de contrôle, il faudrait noyer les zones où se trouvent les vers blancs avec une forte concentration d'un produit choisi pour qu'il puisse atteindre les larves sans être absorbé ou dégradé.

Le savon insecticide et les pyréthrines naturelles

Surtout efficaces contre les insectes à carapace molle, comme les pucerons, aleurodes, tétranyques, cochenilles, psylle du poirier, limaces, etc., le savon insecticide et les pyréthrines sont peu efficaces contre les vers blancs présents dans les sols argileux ou compacts. De plus, ces produits ne sont pas homologués pour cette utilisation au Canada.

Le neem

Le neem (azadirachtine) est, aux États-Unis, un pesticide à faible impact à large spectre qui agit non seulement par contact, mais a aussi un effet systémique (c'est-à-dire qu'il peut être absorbé par la plante et réparti dans ses tissus). Des recherches américaines et d'autres effectuées récemment par le Jardin botanique de Montréal ont conclu que le neem donnait des résultats prometteurs dans le contrôle des vers blancs.

On sait que le neem peut avoir des propriétés répulsives, inhiber la croissance et agir comme poison. On soupçonne que les vers blancs consomment de l'azadiractine (ingrédient actif contenu dans le neem) en broutant les racines du gazon traité. Bien que ces

Selon certaines recherches préliminaires, les traitements à base de neem pourraient être efficaces contre les vers blancs.

recherches soient préliminaires, tout indique que le neem pourrait faire partie d'une stratégie de lutte naturelle. Malheureusement, le neem n'est toujours pas homologué au Canada comme insecticide, mais des produits de ce type sont vendus comme lustrants à feuilles dans les jardineries.

C'est au moment du premier (particulièrement efficace) et du deuxième stade larvaire (début août à la mi-septembre) que l'insecte est vulnérable. C'est donc la période de contrôle la plus propice pour mettre en place des traitements curatifs.

Le Milky Spore

Le *Milky Spore* est un produit commercial qui contient du *Bacillus popillae*. Cette bactérie s'apparente au *Bacillus thuringiensis kurstaki* (Btk) qui entre dans la fabrication du biopesticide Btk qui contrôle les chenilles (larves de lépidoptères). Efficace contre les vers blancs du scarabée japonais, il n'est pas très utile à notre latitude à cause principalement de nos conditions climatiques : des étés secs, frais ou humides selon les années et des hivers froids.

Tout comme le Btk pour les chenilles, il faut que la bactérie soit ingérée par les vers blancs. Pour ce faire, il faut qu'il y ait de très grandes populations de bactéries de *Milky Spore* dans le sol. Pour soutenir la multiplication de cette bactérie, il faut que le sol soit humide et chaud pendant la saison estivale, ce qui est loin d'être le cas au Québec.

D'ailleurs, dans les climats adéquats, on considère qu'il faut trois à cinq ans pour qu'il y ait accumulation de populations suffisamment importantes dans le sol pour bien contrôler les populations de vers blancs présents. À ce jour, ce produit n'a pas fait ses preuves sous nos latitudes et n'est efficace que pour les larves de scarabées japonais.

Le contrôle des moufettes et ratons laveurs

Il arrive souvent que les gens confondent les dommages de vers blancs avec ceux des moufettes et des ratons laveurs. Bien qu'effectuant un contrôle biologique des vers blancs, ces petites bestioles sont en fait considérées comme étant des ravageurs secondaires, puisque leur recherche de nourriture (les vers blancs) cause des dégâts parfois spectaculaires. Certains prennent leur mal en patience et profiteront de cette stratégie de lutte biologique. D'autres préfèrent mettre en place une stratégie pour les éloigner.

Au printemps et à l'automne, les moufettes sont friandes de vers blancs.

Il existe différentes techniques pour repousser et éloigner les animaux prédateurs des vers blancs. Les barrières physiques à la ponte (toiles) peuvent être installées aux endroits ciblés par les ratons laveurs et les moufettes. On peut aussi installer un détecteur de mouvement branché sur le boyau d'arrosage conçu à cet effet. Les répulsifs devraient être combinés à d'autres méthodes.

Il existe dans le commerce des produits conçus pour repousser les animaux indésirables. La plupart de ces répulsifs ciblent le goût ou le sens de l'odorat développé chez les animaux. Le poivre noir et de Cayenne, les œufs déshydratés en putréfaction, l'urine de prédateurs (loups ou coyotes) sont des exemples d'ingrédients fréquemment inclus dans ces produits. Une technique peu coûteuse qui a fait ses preuves est l'utilisation de bandelettes parfumées pour la sécheuse.

C'est au moment où les vers blancs sont gros et qu'ils ont atteint le 3e stade larvaire que les animaux commenceront à creuser le sol sous la pelouse pour les trouver. C'est normalement en octobre et en novembre, et ensuite à partir du mois d'avril, au printemps, que les dommages sont évidents. Aussitôt que l'on constate cette activité nocturne, il faut commencer à utiliser des répulsifs.

Pour éloigner les ratons laveurs des pelouses et des jardins, on peut utiliser des répulsifs.

On saupoudre alors le produit choisi sur les zones ciblées (suivre les indications sur l'étiquette du produit). Selon l'expérience de plusieurs jardiniers, il faut répéter l'application après une pluie abondante et changer de produits après quelque temps, car les animaux ont tendance à s'y habituer.

Si on utilise les bandelettes parfumées pour la sécheuse, il est recommandé de bien les ancrer à l'aide de bâtons ou de baguettes chinoises et d'en disposer plusieurs sur les surfaces convoitées par les moufettes.

Pour que cette approche réussisse, il faut être persistant et vigilant. On doit changer de produits ou de techniques aussitôt qu'on décèle le fait que les animaux s'y sont habitués. On répète les applications fréquemment, tout particulièrement s'il a plu ou si la rosée du matin est abondante.

Les solutions à moyen et à long terme

COMME LE DÉMONTRE LE CHAPITRE PRÉCÉDENT, *Les solutions à court terme*, les stratégies pour se débarrasser des adultes et des larves de vers blancs ont des effets limités. C'est particulièrement vrai si elles ne sont pas accompagnées de bonnes pratiques de culture. Dans les faits, seul un ensemble de bonnes pratiques culturales et agronomiques est le moyen de lutter efficacement contre les vers blancs. Sans compter que ces bonnes pratiques tendent à rendre la culture du gazon plus écologique.

La tonte

Il faut adopter la technique de la tonte haute. En plus de créer une barrière à la ponte des œufs, un gazon coupé haut a des racines profondes qui résistent mieux au stress occasionné par le broutage des larves. Le gazon peut alors tolérer plus de dommages sans en souffrir et mieux résister aux sécheresses.

Une tonte haute du gazon limite la ponte des insectes et rend la pelouse plus résistante durant l'été.

La bonne longueur au bon moment

Tout au cours de la saison, on maintient la pelouse à une hauteur de 8 à 10 cm (3 à 4 "), sauf pendant l'épisode de ponte des hannetons. Pendant cette période, à moins que les températures soient fraîches et qu'il ne pleuve fréquemment, on réduit la fréquence des tontes. Ce ralentissement a lieu vers la troisième semaine de juin pour la grande région de Montréal et le sud du Québec ; jusqu'à la fin du mois de juillet dans les régions plus fraîches.

On reprend ensuite la tonte en maintenant la hauteur à 8 à 10 cm (3 à 4 ") tout en prenant soin de ne jamais couper plus du tiers de la hauteur de la pelouse à la fois. On procède ainsi jusqu'aux dernières tontes de la saison qui devraient être plus courtes.

Efficacité potentielle

Toutes les observations démontrent que cette technique est efficace, puisqu'on a constaté moins de dégâts que sur une pelouse coupée courte régulièrement.

L'herbicyclage et recyclage des feuilles mortes

L'herbicyclage est l'action de laisser le gazon coupé à la surface du sol pour qu'il se décompose sur place. En plus de contribuer à stimuler l'activité biologique et à maintenir le sol et le gazon en santé, l'herbicyclage permet de réduire les apports d'engrais, l'arrosage et la présence des mauvaises herbes.

Comment procéder

Pour tondre, on choisit un moment où le gazon est sec et on laisse le gazon coupé au sol.

Pour s'assurer de la bonne efficacité de cette méthode, la lame de la tondeuse doit être bien affûtée. L'utilisation d'une tondeuse déchiqueteuse (ou une tondeuse munie d'une lame déchiqueteuse), n'est pas essentielle, mais recommandée si on préfère que les brins d'herbe coupés se décomposent plus rapidement.

Si on doit tondre malgré des conditions humides ou si on doit couper plus du tiers à la fois (ex.: retour de vacances), il est préférable de ramasser les rognures de gazon. On les ajoute au compost ou on les utilise comme paillis dans les plates-bandes ou le potager.

À l'automne, cette technique de recyclage peut aussi s'appliquer aux feuilles mortes jonchant la pelouse. Il s'agit tout simplement de broyer les feuilles et de les laisser en place. Une fois décomposées par les vers de terre et les microorganismes du sol, les feuilles ainsi récupérées contribueront à augmenter le taux de matière organique et l'humus du sol. Pour obtenir de bons résultats, avec la tondeuse il faut déchiqueter les feuilles tombées avant qu'il ne pleuve et lorsque l'accumulation ne dépasse pas 10 à 12 cm (4 à 5").

PAS TROP À LA FOIS

Toutes les études démontrent qu'on ne doit jamais tondre plus du tiers de la hauteur à la fois, sinon on affaiblit les plantes.

Efficacité potentielle

Bien que l'herbicyclage et le recyclage des feuilles mortes ne contribuent pas directement au contrôle des vers blancs, lorsqu'ils sont intégrés aux pratiques régulières, ils contribuent à créer des conditions propices à la prévention et à la diminution de la sévérité du problème.

L'herbicyclage maintient le gazon en santé tout en réduisant les apports d'engrais nécessaires.

D'AUTRES BÉNÉFICES

L'herbicyclage réduit les heures de travail sur la pelouse (ramassage et ensachage du gazon coupé), les dépenses (en engrais) et les quantités de rebuts prenant le chemin du dépotoir. On réduit ainsi les émissions de gaz à effet de serre liées aux activités de transport et d'enfouissement.

L'excès de chaume est souvent un symptôme d'un excès de fertilisation azotée et d'une activité biologique déficiente dans le sol.

Le chaume

Le chaume est une couche compacte plus ou moins épaisse de débris organiques peu décomposés qui s'accumule à la surface du sol dans une pelouse. Cette couche brun beige est créée par l'accumulation des parties coriaces des brins d'herbe (tiges et racines) qui ne peuvent être décomposées faute d'activité biologique dans le sol.

Une couche de plus de 1,25 cm de chaume indique une mauvaise gestion et l'adoption de pratiques dommageables pour l'écosystème sol – pelouse. En plus d'engendrer une série de conséquences néfastes pour la pelouse, l'excès de chaume peut contribuer à l'émergence du problème de vers blancs et en empirer les dommages.

TROP DE CHAUME ?

Un excès de chaume peut :

- *engendrer des problèmes de stress hydrique, de dormance prématurée, le développement d'adventices, etc. ;*
- *affaiblir les plantes, car la croissance des racines se fait dans la zone qu'occupe le chaume plutôt que dans le sol ;*
- *favoriser le développement de certains insectes ravageurs et organismes pathogènes ;*
- *réduire l'efficacité des pesticides à faible impact ou de pesticides de synthèse lors du contrôle des insectes ravageurs ;*
- *diminuer l'action des engrais.*

Comment faire ?

Pour s'assurer de réduire le chaume à moins de 1,25 cm, plusieurs actions doivent être entreprises :

- stimuler l'activité biologique du sol en effectuant une aération et en terreautant avec du compost de qualité pour soutenir la vie microbienne du sol ;
- arroser moins souvent, mais en profondeur ;
- réduire les apports d'engrais azotés de synthèse ;
- troquer les engrais de synthèse pour des engrais naturels et du compost ;
- herbicycler les brins de gazon, recycler les feuilles mortes sur la pelouse.

Efficacité potentielle

Un sol constitué d'un écosystème dynamique où les microorganismes, les vers de terre et autres organismes décomposent activement les matières organiques est garant d'une pelouse en santé qui, en retour, sera plus résistante aux vers blancs, mais aussi aux autres insectes ravageurs, aux maladies et aux différents stress.

DÉCHAUMAGE MÉCANIQUE

Il existe des machines pour déchaumer, mais je ne vous conseille pas l'utilisation de celles-ci. Il est beaucoup plus efficace de modifier ses habitudes de culture de la pelouse – ce qui mène le plus souvent à une réduction des dégâts de vers blancs – que de pratiquer annuellement un déchaumage mécanique.

Le terreautage et l'ajout de compost

Le meilleur investissement contre les problèmes de pelouse (incluant les vers blancs) est un sol en santé. L'ajout de compost et autres matières organiques dans un sol, augmente le taux d'humus de celui-ci et offre une panoplie de bénéfices contribuant à sa santé et, par ricochet, à la santé des végétaux et de tout l'écosystème.

BÉNÉFICES QUE PROCURENT LES MATIÈRES ORGANIQUES

- *nourriture pour l'ensemble des organismes du sol*
- *nourriture pour la plante*
- *amélioration de la rétention d'eau du sol*
- *amélioration de la rétention des nutriments du sol*
- *amélioration de la circulation de l'air (O_2, CO_2, etc.) dans le sol*
- *meilleure résistance du sol à la compaction*
- *multiplication des racines nourricières se traduisant par une meilleure absorption d'eau et d'éléments nutritifs par la plante*

Comment faire?

Dans un sol où la pelouse est déjà existante, on peut soit épandre le **compost mûr** à la volée, soit louer un épandeur conçu à cet effet. Selon les besoins et la fréquence, on recommande généralement d'épandre entre 10 et 15 mm (± ½") d'épaisseur et, par la suite, de passer un coup de râteau à feuilles pour le faire pénétrer entre les brins d'herbe. Sans être un préalable, l'aération des sols argileux ou compacts à l'aide d'une carotteuse améliore les résultats.

Efficacité potentielle

L'efficacité du terreautage et de l'ajout de compost sur une pelouse n'est plus à démontrer. En permettant d'obtenir un sol en santé, on s'assure que les plantes sont en santé et qu'elles sont ainsi plus résistantes aux attaques de vers blancs.

PARTIR DU BON PIED

Dans le cas d'une pelouse nouvelle ou d'une réfection complète, on doit incorporer au sol une quantité optimale de compost. Pour une croissance optimale, il faut viser une proportion minimale de 5 % de matière organique.

Compost mûr

Compost dont les matières premières ont été complètement décomposées et que l'on peut reconnaître par sa couleur brun foncé, sa texture fine et granuleuse et son odeur de sous-bois.

Le terreautage au compost permet de fournir à la pelouse un sol en santé.

Après le terreautage, il faut bien faire pénétrer le compost entre les brins de gazon à l'aide d'un râteau à feuilles.

La fertilisation et les biostimulants

De plus en plus d'études le démontrent, l'utilisation récurrente ou systématique d'engrais de synthèse peut non seulement causer l'apparition des problèmes de vers blancs, mais aussi l'exacerber. Cela est particulièrement le cas des gazons gorgés d'azote (N) dont la résistance est peu élevée.

La fertilisation avec un biostimulant évite les problèmes reliés à l'utilisation des engrais de synthèse.

À l'opposé, les engrais naturels sont conçus pour nourrir le sol, c'est-à-dire nourrir les microorganismes et autres organismes bénéfiques présents dans le sol. En retour, ces organismes rendent disponibles, au besoin, les nutriments nécessaires à la croissance des végétaux.

Afin de réduire les dégâts associés aux vers blancs, il est donc conseillé d'utiliser une fertilisation naturelle adaptée aux besoins réels de la pelouse. L'emploi de tels produits conçus pour soutenir la santé des végétaux peut jouer des rôles déterminants :

- rendre la pelouse plus résistante aux attaques des vers blancs ;
- rendre la pelouse moins alléchante aux vers blancs et autres insectes ravageurs ;
- soutenir la croissance du gazon et des racines pendant la période d'attaque des vers blancs ;
- aider à la reprise d'une pelouse attaquée par les vers blancs.

IMPACTS DE L'UTILISATION SYSTÉMATIQUE DES ENGRAIS DE SYNTHÈSE

- *Destruction plus rapide de l'humus*
- *Réduction de la vie biologique du sol*
- *Acidification du sol*
- *Perte de structure du sol*
- *Augmentation du taux de salinité du sol*
- *Accroissement des risques des maladies et d'infestation d'insectes ravageurs*
- *Production de chaume*
- *Pollution des nappes phréatiques et des cours d'eau*
- *Prolifération des algues bleues*
- *Production de gaz à effet de serre (processus de production)*

Il est important de savoir que, pour pouvoir retirer le maximum des nutriments compris dans les engrais naturels et les biostimulants, le sol doit être vivant. L'ajout de compost, la pratique de l'herbicyclage et le recyclage des feuilles d'arbres broyées à l'automne sont des pratiques qui contribuent non seulement à nourrir les végétaux, mais aussi à maintenir une saine activité biologique dans le sol.

Quels produits utiliser ?

En plus des rognures de gazon, des feuilles mortes broyées, du compost et des fumiers compostés, plusieurs autres fertilisants naturels peuvent être utilisés.

Les amendements minéraux permettent de corriger ou d'améliorer certaines propriétés physicochimiques du sol. Les principaux sont la chaux, les cendres de bois, le gypse et le soufre. On utilise aussi le basalte, l'argile et le sable.

Les engrais naturels peuvent provenir de sources animales, végétales ou minérales. On peut les regrouper par source d'apport :

- sources d'azote (N) : farine de sang, de plumes ou de poissons et crevettes ; gluten de maïs ; tourteaux de soya ou de coton ; luzerne séchée ; fumier de poulet ou de mouton ; compost ;

- sources de phosphore (P) : phosphate de roche, poudre d'os, os minéral ou os fossile, farine de poissons, tourteaux de coton ou de soya, fumier de poule ;

- sources de potassium (K) : Sulpomag, mica, algues, cendre de bois ;

- sources de calcium (Ca) : chaux calcique ou dolomitique, cendre de bois, gypse, fumier de poule.

Grâce à leur grande diversité d'ingrédients, les fertilisants naturels permettent une bonne fertilisation du sol et de la pelouse.

Les biostimulants favorisent la croissance et le développement des plantes. Il s'agit principalement de thé de compost oxygéné et de purin de compost. Les mycorhizes, les algues ou extraits d'algues, ainsi que les engrais-biostimulants-lactofermentés sont des biostimulants.

Les biostimulants font souvent plus que simplement apporter les éléments nutritifs de base (NPK).

POUR EN SAVOIR...

plus sur la fertilisation des pelouses, consulter *L'écopelouse – Pour une pelouse vraiment écologique* de Micheline Lévesque chez Bertrand Dumont éditeur.

Pourquoi les utiliser?

Si la pelouse démontre des symptômes de carences évidents, il faut alors fertiliser. Si on n'est pas certain que la pelouse a besoin d'un ajout de fertilisation, on procède à une analyse de sol. Celle-ci se fait généralement par le biais d'une jardinerie ou d'un laboratoire agronomique.

Quand les utiliser?

La fertilisation générale

Il est recommandé de fertiliser lorsque les graminées croissent activement, soit au printemps ou à la fin de l'été et au début de l'automne, époque où les températures oscillent généralement entre 16 et 24 °C.

Attention! Selon des chercheurs, il faut à tout prix éviter les excès d'azote au printemps, car celui-ci stimule la croissance excessive des feuilles au détriment des racines. Le gazon en est affaibli et les dommages de vers blancs et autres stress sont exacerbés. L'utilisation d'engrais naturels permet, dans la majorité des cas, d'éviter ces excès.

Si on choisit de ne fertiliser qu'une fois par année, le début de l'automne est le moment idéal pour le faire. À cette période de l'année, les racines transforment les éléments nutritifs en hydrates de carbone (sucres, protéines, etc.) qui sont utilisés le printemps suivant. Le gazon verdit plus tôt au printemps et cette réserve continue à fournir de la nourriture aux plants pendant une partie de l'été qui suit.

La fertilisation de reprise

Si la pelouse a été endommagée par les vers blancs, il est bénéfique d'apporter, dès le mois d'août, des nutriments afin de stimuler la multiplication et l'élongation des racines et des feuilles, pour assurer un maximum d'activité photosynthétique. Pour ce faire, des vaporisations d'algues (biostimulant) et l'ajout d'un engrais naturel contenant non seulement de l'azote (N) mais aussi du potassium, du phosphore et du calcium (K+P+Ca) est recommandé.

L'automne est une période idéale pour la fertilisation.

PELOUSE DE BORD DE LAC

Si votre propriété est située sur le bord d'un lac, assurez-vous de bien connaître la réglementation municipale qui concerne l'utilisation des engrais. Éviter d'utiliser un engrais à forte teneur en phosphore et en azote.

Comment procéder?

L'analyse de sol indique les besoins en engrais de la pelouse. Quand on connaît les quantités, il suffit de choisir le bon engrais 100% naturel. Si on procède sans analyse de sol, on modère les apports d'engrais pour éviter les excès et on mise avant tout sur une fertilisation équilibrée incluant un apport mesuré d'azote, de phosphore, de potassium et de calcium en tenant compte avant tout des besoins des graminées.

Par contre, si la pelouse n'a été que très rarement, ou jamais, fertilisée, il peut être nécessaire de fertiliser plus souvent de manière temporaire.

Il faut aussi s'assurer d'un apport annuel de calcium. Si on n'a pas besoin de modifier le pH, on utilise le gypse. Si on souhaite remonter le pH, on opte pour de la chaux.

De plus, au printemps (avril-mai) quand les vers blancs sont encore actifs, pendant la ponte (juillet) et pendant la période de développement des larves (août, septembre, octobre), on peut aussi effectuer des vaporisations d'algues, ou autres types de biostimulants, afin de permettre au gazon de mieux résister.

Lorsqu'on fertilise, on doit tenir compte de l'apport en nutriment du terreautage avec du compost qui contribue non seulement à nourrir les plantes de façon équilibrée, mais aussi à améliorer la qualité du sol (activité biologique, structure, etc.) On doit aussi tenir compte de l'herbicyclage.

Efficacité potentielle

La démonstration de l'impact des excès de fertilisation sur la présence des vers blancs et autres ravageurs n'est plus à faire. Toute planification de contrôle des vers blancs dans une pelouse devrait inclure une régie écologique de la fertilisation incorporant du compost et des engrais naturels.

L'analyse de sol est essentielle pour bien établir les besoins du gazon en fertilisation.

Des arrosages au bon moment avec les quantités appropriées permettent de réduire adéquatement la présence de vers blancs et l'ampleur de leurs dommages.

L'irrigation

Selon certains chercheurs américains, l'humidité du sol et la pluviométrie sont des facteurs déterminants dans le développement des populations de vers blancs. En général, les années où la pluviométrie est égale ou supérieure à la normale, les populations de vers blancs augmentent. Heureusement, le gazon a une meilleure capacité de récupération dans de telles conditions. De plus, les gazons entretenus de façon intensive (fertilisations et pesticides), qui sont régulièrement arrosés, seraient plus convoités par les vers blancs. Il n'est pas rare d'observer de grandes populations de vers blancs et des dommages plus importants sur des terrains munis de système d'irrigation mal utilisé.

Toujours selon ces chercheurs, dans les quartiers où certaines pelouses sont irriguées et d'autres pas, les femelles seront attirées et iront pondre de préférence dans les pelouses qui sont arrosées sans tenir compte des réels besoins des plantes et du stade de développement des vers blancs.

Quand arroser ou ne pas arroser ?

Pratiquement toutes les espèces de vers blancs requièrent un sol humide pour l'éclosion de leurs œufs. Pour éviter d'attirer les femelles cherchant des sites de ponte et pour réduire le taux de survie des œufs, il faut cesser d'arroser sa pelouse pendant la période de ponte comprise entre la 3e semaine de juin et la 3e semaine de juillet dans la plupart des régions du Québec. De plus, il est très fortement conseillé de prolonger cette période de sécheresse «forcée» pendant tout le mois de juillet et le début août, puisque les œufs ont besoin d'eau pour éclore et survivre. À moins qu'il ne pleuve régulièrement pendant cette période, la sécheresse engendrera un haut taux de mortalité.

Si le sol est très sablonneux et qu'on doit absolument arroser, il faut opter pour des arrosages peu fréquents, mais en profondeur. À long terme, l'ajout de compost et des pratiques culturales telles que la tonte haute, l'herbicyclage, le recyclage des feuilles automnales amélioreront la qualité du sol, ce qui diminuera les besoins en arrosages.

DES PLANTES MIEUX ADAPTÉES

Plusieurs graminées, telles que le pâturin du Kentucky, ne sont pas naturellement adaptées pour croître vigoureusement dans les sols sableux. Pour éviter d'avoir à les soutenir de façon intensive (arrosages, fertilisations et pesticides), incluez des fétuques et du trèfle dans votre mélange, remplacez votre pelouse dans les endroits problématiques, par des végétaux (couvre-sol, vivaces, etc.) mieux adaptés à ces conditions.

Par contre, une fois que les larves commencent à grossir et à se nourrir activement des racines (vers la fin du mois d'août selon les régions), il vaut mieux irriguer les pelouses colonisées par des vers blancs, pour permettre aux graminées de résister aux attaques.

Pour ce faire, au besoin, on arrose peu souvent, mais en profondeur. S'il ne pleut pas suffisamment, on n'arrose qu'une fois par semaine pour une période suffisamment longue pour mouiller le sol jusqu'à une profondeur de 70 à 100 mm (3 à 4").

Des arrosages excessifs du gazon au début de l'été favorisent la présence de vers blancs.

Une bonne règle de base (à adapter selon la texture du sol), c'est d'arroser sur une période d'une heure, idéalement divisée en deux périodes de 30 minutes dans la même journée. L'utilisation d'un pluviomètre ou d'un contenant gradué placé sur la pelouse permet d'évaluer avec précision les quantités d'eau fournie. L'arrosage doit cesser lorsque les contenants sont remplis de 2,5 cm (1") d'eau.

Il est évident que 2,5 cm d'eau ont un impact bien différent dans un sol argileux plutôt que sablonneux. Il vaut mieux faire ses propres tests et choisir une façon de faire qui convient à sa situation.

Comment procéder?

Que ce soit à la main, avec des asperseurs ou un système automatique, on doit toujours contrôler l'époque et la quantité d'eau utilisée pour une efficacité maximum.

Un pluviomètre permet de mesurer correctement la quantité d'eau de pluie, ou d'arrosage, que reçoit la pelouse.

A D O P T E R
L ' É C O P E L O U S E

Ce type de pelouse diversifiée résiste très bien aux périodes de sécheresse sans être arrosée. Elle est donc garante d'une diminution des populations de vers blancs (œufs, larves et adultes).

POUR RENDRE UNE PELOUSE PLUS TOLÉRANTE À LA SÉCHERESSE

- *Augmenter la biodiversité en y semant du trèfle, des fétuques et autres plantes résistantes aux sécheresses*
- *Tondre à plus de 8 cm (3 ") du printemps à l'automne*
- *Pratiquer l'herbicyclage et recycler les feuilles à l'automne*
- *Ajouter régulièrement du compost au sol*
- *Arroser peu souvent, mais en profondeur*
- *Ne jamais arroser au printemps*
- *Éviter de fertiliser tôt au printemps et pendant les chaleurs de l'été avec un engrais à haute teneur d'azote*

Efficacité potentielle

La mise en place d'une bonne régie d'arrosage n'est plus à prouver dans la lutte aux vers blancs.

Le sursemis

Cette technique consiste à épandre de nouvelles semences sur la pelouse afin de compenser les pertes de graminées dues aux broutages des vers blancs et rendre le gazon plus dense et plus résistant. C'est aussi un bon moyen d'apporter de la biodiversité à la pelouse en ensemençant des végétaux adaptés aux canicules et aux sécheresses et moins alléchants pour les vers blancs.

Quelles semences utiliser ?

Plusieurs études ont démontré que les ray-grass et les pâturins sont plus propices aux attaques de vers blancs que les fétuques fines et fétuques élevées. Le trèfle blanc est aussi peu apprécié des vers blancs. Pour contrôler ceux-ci, on doit donc choisir des mélanges commerciaux contenant, en plus du pâturin, de bons pourcentages de fétuques et de trèfles.

La technique du sursemis doit être utilisée pour réparer les dégâts faits à la pelouse par les vers blancs.

ENDOPHYTES OU NON ?

Bien que les semences enrichies d'endophytes ne soient pas toxiques ou répulsives pour les vers blancs, elles permettent néanmoins aux gazons de mieux résister aux divers stress (sécheresse, chaleur, broutage, etc.) et pourraient, selon certains chercheurs, améliorer les chances de récupération du gazon pendant les attaques de vers blancs. De plus, les graminées avec endophytes sont toxiques pour la punaise velue et la pyrale des prés, deux autres insectes ravageurs des gazons.

Quand semer?

Les moments propices pour effectuer des semis ou sursemis sont le printemps ou la fin de l'été, ou encore le début de l'automne. On peut aussi procéder à n'importe quel autre moment de la saison, à condition que les températures oscillent entre 20 et 27°C et que l'on puisse maintenir (arrosage ou pluie) un taux d'humidité adéquat pendant quelques semaines.

Comment procéder?

On commence par sélectionner le mélange de semences adaptées aux conditions environnementales du site (ensoleillement, type de sol, disponibilité en eau) et appropriées à l'utilisation prévue. On calcule une quantité de semences nécessaires selon la surface à couvrir. Elles devraient être similaires à celle recommandée pour l'ensemencement d'une nouvelle pelouse. Sans faire d'excès, il ne faut tout de même pas lésiner sur les quantités ou sur la qualité, sinon les résultats pourraient être mitigés.

Pour couvrir de grandes surfaces, on divise la quantité totale des semences en deux parties égales. La première moitié est épandue uniformément dans un sens, puis l'autre moitié, perpendiculairement au sens précédent.

On tond court en rasant la pelouse à une hauteur de 4 cm (1½") et on ramasse le gazon coupé (il s'agit ici d'une exception). On épand ensuite les semences à la main ou à l'aide d'un épandeur rotatif manuel. On ratisse avec un râteau à feuilles afin de s'assurer que les graines entrent en contact avec le sol. On roule avec un rouleau à gazon rempli d'eau au tiers ou on piétine les petits endroits ensemencés. Cette technique permet d'augmenter le contact entre le sol et les semences et d'assurer un bon taux de germination.

R É D U I R E L'U T I L I S A T I O N D E S E N G R A I S

Certaines légumineuses comme les trèfles ou les lotiers fixent l'azote atmosphérique, elles ont donc moins besoin de fertilisation. Les semer dans une pelouse existante représente une façon pratique et économique de rendre une pelouse plus résistante, moins exigeante et mieux biodiversifiée.

La réparation de dégâts de vers blancs par sursemis évite d'avoir à refaire tout le gazon.

On vaporise le tout à l'aide d'extraits d'algues sous forme liquide. À moins qu'il ne pleuve, on garde les endroits ensemencés humides par des arrosages (10 à 15 minutes) de fines gouttelettes, deux à trois fois par jour si nécessaire. On ne laisse jamais la terre s'assécher complètement, mais on évite les excès d'eau. On diminue la fréquence de l'arrosage lorsque le gazon pousse, mais on augmente la quantité d'eau afin de mouiller le sol en profondeur.

On répète les applications d'extraits d'algues sous forme liquide ou de thé de compost oxygéné à intervalle de deux à trois semaines, jusqu'à ce que le semis soit bien établi.

Comment réparer les dégâts?

La technique du sursemis s'applique très bien lorsqu'on veut réparer les endroits endommagés par les vers blancs.

Pour les dégâts sur de petites à moyennes surfaces

Tout d'abord, on ameublit le sol à l'aide d'une fourche à bêcher. Cette étape est particulièrement importante dans les sols argileux et compacts. On épand ensuite une couche d'environ 5 cm (± 2") de compost pur ou d'un mélange de 50% compost et 50% sable grossier (en sol argileux seulement). On ajuste les quantités pour assurer que le niveau du sol est à peu près pareil au reste de la pelouse. On compacte légèrement puis on procède au semis.

Selon l'importance de la surface, on fait un semis à la volée ou on utilise un épandeur manuel ou un épandeur rotatif. On suit ensuite les directives données à la section précédente.

UN SOL AMÉLIORÉ

Avant d'effectuer un sursemis de réparation, profitez-en pour améliorer la qualité du sol. Les semences auront de meilleures chances de germer et de s'établir. De plus, le gazon poussera dans de meilleures conditions et sera donc plus résistant.

Adapter les graminées aux conditions de sol et d'utilisation que l'on observe sur le terrain évite bien des problèmes.

Pour les dégâts sur de grandes surfaces

Si les dégâts sont si importants que la pelouse doit être refaite au complet, il est plus aisé de mettre en place toutes les étapes nécessaires à l'amélioration du sol. Mais attention, les pratiques doivent être choisies en fonction du type de sol auquel on a affaire.

Pour les dégâts en sol sablonneux

Les dommages de vers blancs sont plus fréquents et plus importants dans les sols sablonneux. On peut alors choisir entre deux options.

La plus simple consiste à remplacer la pelouse par des végétaux résistants à la sécheresse et adaptés à ce type de conditions (voir la section *Remplacer la pelouse* dans le présent chapitre).

Si on désire maintenir une surface gazonnée, on peut opter pour l'écopelouse. Ce type de pelouse diversifiée dépend peu des interventions du jardinier et est mieux adapté aux conditions de sol qui prévalent et aux conditions climatiques. Sa fertilisation provient du gazon coupé laissé au sol (herbicyclage), des feuilles broyées, du trèfle, de l'apport de compost et sporadiquement d'engrais naturels. C'est une pelouse à faible entretien qui est très économique et qui n'a pas besoin d'être arrosée.

Pour les dégâts en sol argileux

Les sols argileux, souvent riches et qui retiennent mieux l'eau, sont reconnus par les experts comme étant beaucoup moins propices aux infestations de vers blancs. Malgré cela, si le gazon est stressé, coupé court et fertilisé régulièrement à l'aide d'engrais de synthèse riche en azote, il y a de fortes chances qu'il soit convoité par des insectes ravageurs comme les vers blancs et la pyrale des prés.

En optant pour l'écopelouse, on favorise la biodiversité tout en adaptant le type de semences au type de sol.

Les deux options présentées pour les dégâts en sol sablonneux sont aussi valables en sol argileux.

Efficacité potentielle

En favorisant la biodiversité et en permettant de bien adapter le type de semences au type de sol, le sursemis concourt à contrôler efficacement les vers blancs. C'est aussi le meilleur moyen de réparer les dégâts.

Favoriser la biodiversité

Les insectes bénéfiques, comme le pélécinide (Pelecinus polyturator), un parasitoïde du hanneton commun, doivent être favorisés, plutôt que détruits par des pesticides.

Les pelouses diversifiées, adaptées aux conditions climatiques et aux conditions qui prévalent, n'ont que rarement besoin d'être arrosées, ce qui crée des conditions peu propices au développement de la plupart des insectes ravageurs et des maladies de gazon. De plus, l'écosystème naturel inhérent à ces écopelouses abrite une diversité d'organismes et d'ennemis naturels qui maintiennent les populations de ravageurs à des niveaux tels qu'ils causent peu ou pas de dommages.

Ces ennemis naturels peuvent être classés dans deux catégories, soit les **prédateurs** et les **parasitoïdes**.

Prédateur

Insecte qui se développe en attaquant d'autres insectes pour les tuer et s'en nourrir.

Parasitoïde

Insecte dont le stade larvaire s'effectue aux dépens d'un hôte (insecte) qui succombera éventuellement à l'attaque.

Dans ou au-dessus d'un gazon sain ou d'une écopelouse, on peut observer des prédateurs comme des fourmis, des larves et des adultes de certains coléoptères (coccinelles, cicindelles, stapylins) ainsi que plusieurs espèces d'araignées et des parasitoïdes comme certaines espèces de guêpes (non agressives). Ils agissent comme tampon contre les infestations de ravageurs.

DU TRÈFLE, MAIS PAS TROP

Bien que le trèfle soit utilisé par plusieurs pour remplacer une pelouse de graminées attaquées par les vers blancs, une monoculture de trèfle n'est pas une solution viable à long terme. S'il est vrai que les vers blancs n'aiment pas beaucoup le trèfle et lui préfèrent les graminées, si les vers blancs sont présents dans le sol au moment du semis de trèfle, ils s'en nourriront s'ils n'ont rien d'autre à manger. Il y aura certes un peu de dommages, mais ils seront tout de même moindres que dans une pelouse à dominance de graminées.

Contrôler les sources lumineuses

Les adultes (hannetons communs et européens, scarabées japonais) émergent du sol en fin de soirée et sont actifs la nuit. Ils sont attirés par les sources lumineuses telles que les luminaires de rues et les lumières extérieures résidentielles. Opportunistes, les femelles attirées par la lumière ont tendance à pondre massivement au pied ou à proximité de ces sources lumineuses.

Pour éviter d'attirer des centaines de hannetons sur une propriété, on éteint les lumières extérieures pendant la période de vol des adultes (mi-juin à la fin juillet selon les régions). De plus, puisque les hannetons peuvent être attirés par les ampoules aussi faibles que 15 watts, on ferme aussi les stores et les rideaux pour éviter de les attirer à proximité de la maison.

Évidemment, cette stratégie ne doit pas compromettre la sécurité. Une option viable est d'installer des lumières munies de détecteur de mouvement. On minimise ainsi les périodes de luminosité.

Durant la période de ponte, les luminaires extérieurs doivent être éteints, afin de ne pas attirer les adultes de hannetons et de scarabées.

Supprimer les pesticides de synthèse

Il est reconnu que l'utilisation de pesticides de synthèse et de certains pesticides naturels à large spectre peut avoir des répercussions sur les organismes non visés qui se trouvent dans le même environnement que les vers blancs (sol – pelouse). Leur utilisation n'est donc pas recommandée, puisque cela peut engendrer ce que l'on appelle « l'engrenage de l'utilisation des pesticides » (*pesticide treadmill*). Ce qu'il faut comprendre de cette dynamique, c'est que, bien qu'un certain pourcentage de vers blancs, et d'autres ravageurs, soit tué par les pesticides appliqués, ces produits détruisent aussi leurs ennemis naturels (insectes, araignées). En fait, plus on utilise des pesticides, plus on crée des conditions propices pour le retour en force du problème (résurgence) ou d'autres complications.

L'utilisation répétée de pesticides peut aussi engendrer le développement du phénomène de résistance, condition par laquelle les insectes deviennent en quelque sorte immunisés aux pesticides utilisés.

Si l'on veut éviter, année après année, une recrudescence des populations de vers blancs et cesser ce cercle vicieux, il vaut mieux être patient, investir dans les bonnes pratiques de gestion et adopter l'écopelouse.

En dernier recours !

Bien que le recours aux pesticides de synthèse puisse s'avérer nécessaire dans certaines situations spécifiques, l'utilisation de ces produits toxiques peut avoir des répercussions négatives sur les organismes non visés. Le potentiel de toxicité pour la faune et pour les enfants, ou toute autre population vulnérable, et la contamination possible pouvant mener à des réactions de toxicités aiguës (dermatites, étourdissements, nausées, comas) et chroniques (cancer, Parkinson, etc.) doivent être sérieusement prises en considération lorsque l'on considère utiliser ces produits.

Le cas du Merit

Au Québec, le *Code de gestion des pesticides* encadre et limite l'utilisation de certains pesticides sur les pelouses du Québec. Toutefois, plusieurs peuvent encore être utilisés. C'est le cas du *Merit* (imidacloprid), un pesticide de synthèse qui est vaporisé par des entreprises pour traiter les pelouses contre les vers blancs entre la fin du mois de juin et la fin du mois de juillet. Certaines municipalités ayant adopté un règlement interdisant l'utilisation de la plupart des pesticides sans avoir au préalable obtenu un permis à cet effet, on doit s'assurer d'obtenir un permis avant que l'entreprise procède à l'application.

En détruisant la vie biologique du sol et de la pelouse, les pesticides de synthèse peuvent contribuer à augmenter les problèmes reliés aux vers blancs plutôt que de les diminuer.

Pesticides à faible impact

Il arrive parfois qu'on ait besoin, dans des situations bien précises, d'utiliser des biopesticides. Pour découvrir ce monde fascinant, je vous invite à vous procurer *Le guide complet des pesticides à faible impact et autres solutions naturelles* (Isabelle Quentin éditeur) que j'ai eu le plaisir de rédiger.

Choisir l'écopelouse

Dans des conditions de culture peu adaptées à la pelouse, si pour jouer ou pour relaxer on tient à maintenir une surface tondue courte pouvant être piétinée, on opte pour l'écopelouse. Ce tapis vert, composé de graminées variées, de légumineuses et autres végétaux adaptés aux conditions qui prévalent sur le site, est peu exigeant en entretien.

L'écopleouse est un bon choix pour éviter les problèmes reliés aux vers blancs.

On trouvera plus d'information à ce sujet dans mon livre *L'écopelouse – Pour une pelouse vraiment écologique* chez Bertrand Dumont éditeur.

Remplacer la pelouse

Dans les endroits où la pelouse pousse difficilement (pente au sud, zone ombragée, sol très sableux, etc.), il est conseillé de la remplacer par des végétaux mieux adaptés plutôt que de se «battre» continuellement contre les vers blancs.

On peut opter pour le remplacement de la pelouse par des couvre-sol, des plates-bandes ou même un potager alliant esthétisme et pragmatisme.

Couvre-sol : lesquels choisir ?

Tout comme pour la pelouse, il faut choisir la stratégie de la bonne plante au bon endroit. On sélectionne donc des plantes adaptées aux conditions du site, non seulement en fonction du degré d'ensoleillement, mais aussi en fonction de la texture et de la richesse du sol, du pH et de la disponibilité naturelle en eau. Bien sûr, l'utilisation que l'on fait du site, et les goûts et les besoins des utilisateurs doivent être pris en compte.

PAS DE GAZON DANS LES PENTES

Les vers blancs préférant s'établir dans les sites en pente, bien drainés et orientés vers le sud, il est préférable de remplacer la pelouse sur ces sites, surtout s'ils subissent des dommages de vers blancs.

Dans les endroits où le gazon pousse difficilement on devrait opter pour des solutions de remplacement.

UN BON SUBSTITUT

LES RÉFÉRENCES

Les meilleures références sur les stratégies de la bonne plante au bon endroit sont *Fleurs et jardins écologiques – L'art d'aménager des écosystèmes* de Michel Renaud, *Les niches écologiques des vivaces et plantes herbacées* et *Les niches écologiques des arbres, arbustes et conifères* de Bertrand Dumont, tous chez Bertrand Dumont éditeur.

Le thym s'avère être un choix judicieux dans les endroits chauds, secs et ensoleillés. Que ce soit le thym serpolet ou le thym laineux, ces plantes tolèrent un certain degré de piétinement… sans compter qu'elles offrent une belle floraison.

Plantes pour les endroits ensoleillés

Voici quelques exemples de plantes qui pourront être choisies en fonction des autres caractéristiques du site.

PLANTES INDIGÈNES OU NATURALISÉES

Coréopsis à feuillage verticillé (*Coreopsis verticillata*)

Lamier maculé (*Lamium maculatum*)

Physostégie (*Physostegia virginiana*)

Rudbeckie hérissée (*Rudbeckia hirta*)

Rudbeckie pourpre (*Echinacea purpurea*)

Verge d'or (*Solidago* sp.)

COUVRE-SOL ET PLANTES VIVACES
DÉCORATIVES RÉSISTANTES

Bugle rampante* (*Ajuga reptans*)

Céraiste tomenteux (*Cerastium tomentosum*)

Genévrier rampant (*Juniperus* sp.)

Géranium vivace* (*Geranium* sp.)

Graminées décoratives (*Pennisetum* sp.,
   Miscanthus sp., *Calamagrostis* sp., *Carex* sp.,
   etc.)

Herbe aux écus (*Lysimachia* sp.)

Plantes succulentes (*Sedum* sp., *Saxifraga* sp.,
   etc.)

* Attention : certaines de ces plantes peuvent être
   envahissantes si elles ne sont pas cultivées
   dans de bonnes conditions.

Plantes pour les endroits ombragés

Voici quelques exemples de plantes qui pourront être choisies
en fonction des autres caractéristiques du site.

COUVRE-SOL ET PLANTES VIVACES
DÉCORATIVES RÉSISTANTES

Astilbe (*Astilbes* sp.)

Bergenia (*Bergenia* sp.)

Hosta (*Hosta* sp.)

Lamier (*Lamium maculatum*)

Muguet (*Convallaria majalis*)

Pachysandre (*Pachysandra terminalis*)

Pervenche (*Vinca minor*)

Primevère (*Primula* sp.)

PLANTES INDIGÈNES

Anémone du Canada (*Anemone canadensis*)

Asaret (*Asarum canadensis*)

Cornouiller du Canada (*Cornus canadensis*)

Fougères (certaines espèces)

Sanguinaire (*Sanguinaria canadensis*)

Tiarelle (*Tiarella cordifolia*)

*Il existe un grand choix
de couvre-sol, comme ici
un genévrier rampant,
qui peuvent avantageusement
remplacer le gazon.*

*Une diversité de plantes, couvre-sol ou
autres, permet de créer des aménagements
paysagers très décoratifs
particulièrement dans les endroits
où le gazon ne pousse pas.*

Le potager

Dans les endroits appropriés, on peut remplacer la pelouse par un potager. On peut ainsi s'assurer de la qualité des légumes que l'on mange et favoriser la consommation locale. Pour implanter un nouveau potager, on peut consulter mon livre : *Le potager simplifié – Pour des légumes sains et frais* chez Bertrand Dumont éditeur.

Comment procéder ?

Suivant les conditions, plusieurs techniques peuvent être utilisées pour supprimer la pelouse et préparer les zones de plantation. Celles-ci sont décrites dans les livres traitant de la création des plates-bandes ou le potager.

Efficacité potentielle

Selon les observations, cette stratégie donne de très bons résultats. Dans la plupart des cas, les vers blancs cessent d'être un problème dans les endroits où la pelouse a été remplacée par des végétaux moins alléchants. Le choix de la bonne plante installée au bon endroit est donc garant de succès.

La culture du potager est plus susceptible d'intéresser les enfants que la culture du gazon. Un bon moyen de les mettre en contact avec la nature et l'importance de la nourriture.

BIBLIOGRAPHIE

ALTIERI, MIGUEL A. ET NICHOLLS, CLARA INES. *Applying Agroecological Concepts to Development of Ecologically Based Pest Management Strategies,* University of California, Professional Societies and Ecologically Based Pest Management : Proceedings of a Workshop, Berkeley (CA), 2000.

BREDE, D. *Turfgrass maintenance reduction handbook,* Sports, Lawns, and Golf, Ann Arbor Press, Ann Arbor (MI), 2000.

CALLAHAN, P.S. *Tuning into nature: Solar energy, Infrared Radiation, and the Insect communication system,* The Devin-Adair Co., Old Greenwich (CT), 1975.

CRUTCHFIELD, BERRY A. ET POTTER, DANIEL A. *Feeding by Japanese Beetle and Southern Masked Chafer Grubs on Lawn Weeds,* Crop Science Society of America, Madison (WI), 1995.

DIVERS AUTEURS. *Code de gestion des pesticides du Québec* [www.mddep.gouv.qc.ca]

ELLIS, B.W. *Covering ground; unexpected ideas for landscaping with colorful low maintenance ground covers,* Storey publishing, North Adams (MA), 2007.

JOHNSON, W.T. ET LYON, H.H. *Insects that feed on trees and shrubs,* Cornell University, Ithaca (NY), 1994.

LÉVESQUE, M. *L'écopelouse Pour une pelouse vraiment écologique,* Bertrand Dumont éditeur, Boucherville (QC), 2008.

LÉVESQUE, M. *Le guide complet des pesticides à faible impact et autres solutions naturelles,* Isabelle Quentin éditeur, Montréal (QC), 2005.

MORALES, H.; PERFECTO, I. ET FERGUSON, B. *Traditional fertilization and its effect on corn insect populations in the Guatemalan highlands,* Science Direct [www.sciencedirect.com].

POLAVARAPU, SRIDHAR ET AUTRES. *Optimal use of insecticidal nematodes in pest management,* Rutgers University August, Chatsworth (NJ), 1999.

POTTER, DANIEL A. *Destructive turfgrass insects.* Biology, diagnosis and control, Ann Arbor Press, Ann Arbor (MI), 1998.

PRIMEAU, L. *Front yard gardens.* Firefly books, Richmond Hill (ON), 2003.

RAYMOND, A. CLOYD. *Plant stress favors pests in urban landscapes,* Ground Maintenance for Golf and Green Industry Professionals [www.grounds-mag.com].

SACHS, P.D. *Managing healthy sports fields – A guide to using organic materials for low maintenance and chemical-free playing fields,* Wiley and sons Inc., Hoboken (NJ), 2004.

SACHS, P.D. *Handbook of successful ecological lawn care,* The Edaphic Press, Newbury (VT), 1996.

SACHS, P.D ET LUFF, R.T. *Ecological Golf Course Management,* Ann Arbor Press, Ann Arbor (MI), 2002.

SEARS, M.K., HSIANG, T. ET CHARBONNEAU, P. *Maladies et insectes ravageurs des gazons de l'Ontario*, Ministère de l'Agriculture, de l'Alimentation et des Affaires rurales de l'Ontario, Guelph (ON), 1996.

SIMAR, L., BÉLAIR, G., ET DIONNE, J. «Bien connaître les vers blancs, un pas vers un meilleur contrôle ! », *Québec Vert*, septembre 2009.

SOHAIL AHMED, HABIBULLAH; SHAHZAD, SABIR ET MUSHTAQ ALI, CH. *Effect of different doses of nitrogen fertilizer on sucking insect pest of cotton,* Gossyppium hirsutum. Journal of the Agriculture Research, [www.jar.com.pk].

VITTUM, P.J.; VILLANI, M.G. ET TASHIRO, H. *Turfgrass insects of the United States and Canada*, Cornell University Press, Ithaca (NY), 1999.

INDEX